Aline et Valcour
Tome 2

Marquis de Sade

HISTOIRE DE SAINVILLE ET DE LÉONORE.

C'est en présentant l'objet qui l'enchaîne, qu'un amant peut se flatter d'obtenir l'indulgence de ses fautes: daignez jeter les yeux sur Léonore, et vous y verrez à-la-fois la cause de mes torts, et la raison qui les excuse.

Né dans la même ville qu'elle, nos familles unies par les noeuds du sang et de l'amitié, il me fut difficile de la voir long-tems sans l'aimer; elle sortait à peine de l'enfance, que ses charmes faisaient déjà le plus grand bruit, et je joignis à l'orgueil d'être le premier à leur rendre hommage, le plaisir délicieux d'éprouver qu'aucun objet ne m'embrâsait avec autant d'ardeur.

Léonore dans l'âge de la vérité et de l'innocence, n'entendit pas l'aveu de mon amour sans me laisser voir qu'elle y était sensible, et l'instant où cette bouche charmante sourit pour m'apprendre que je n'étais point haï, fut, j'en conviens, le plus doux de mes jours. Nous suivîmes la marche ordinaire, celle qu'indique le coeur quand il est délicat et sensible, nous nous jurâmes de nous aimer, de nous le dire, et bientôt de n'être jamais l'un qu'à l'autre. Mais nous étions loin de prévoir les obstacles que le sort préparait à nos desseins.—Loin de penser que quand nous osions nous faire ces promesses, de cruels parens s'occupaient à les contrarier, l'orage se formait sur nos têtes, et la famille de Léonore travaillait à un établissement pour elle au même instant où la mienne allait me contraindre à en accepter un.

Léonore fut avertie la première; elle m'instruisit de nos malheurs; elle me jura que si je voulais être ferme, quels que fussent les inconvéniens que nous éprouvassions, nous serions pour toujours l'un à l'autre; je ne vous rends point la joie que m'inspira cet aveu, je ne vous peindrai que l'ivresse avec laquelle j'y répondis.

Léonore, née riche, fut présentée au Comte de Folange, dont l'état et les biens devaient la faire jouir à Paris du sort le plus heureux; et malgré ces avantages de la fortune, malgré tous ceux que la nature avait prodigués au Comte, Léonore n'accepta point: un couvent paya ses refus.

Je venais d'éprouver une partie des mêmes malheurs: on m'avait offert une des plus riches héritières de notre province, et je l'avais refusée avec une si grande dureté, avec une assurance si positive à mon père, qu'ou j'épouserais Léonore, ou que je ne me marierais jamais, qu'il obtint un ordre de me faire joindre mon corps, et de ne le quitter de deux ans.

Avant de vous obéir, Monsieur, dis-je alors, en me jettant aux genoux de ce père irrité, souffrez que je vous demande au moins la cruelle raison qui vous force à ne vouloir point m'accorder celle qui peut seule faire le bonheur de ma vie? Il n'y en a point, me répondit mon père, pour ne pas vous donner Léonore, mais il en existe de puissantes pour vous contraindre à en épouser une autre. L'alliance de Mademoiselle de Vitri, ajouta-t-il, est ménagée par moi depuis dix ans; elle réunit des biens considérables, elle termine un procès qui dure depuis des siècles, et dont la perte nous ruinerait infailliblement.—Croyez-moi, mon fils, de telles considérations valent mieux que tous les sophismes de l'amour: on a toujours besoin de vivre, et l'on n'aime jamais qu'un instant.—Et les parens de Léonore, mon père, dis-je en évitant de répondre à ce qu'il me disait, quels motifs allèguent-ils pour me la refuser?—Le désir de faire un établissement bien meilleur; dussé-je faiblir sur mes intentions, n'imaginez jamais de voir changer les leurs: ou leur fille épousera celui qu'on lui destine, ou on la forcera de prendre le voile. Je m'en tins là, je ne voulais pour l'instant qu'être instruit du genre des obstacles, afin de me décider au parti qui me resteroit pour les rompre. Je suppliai donc mon père de m'accorder huit jours, et je lui promis de me rendre incessamment après où il lui plairait de m'exiler. J'obtins le délai désiré, et vous imaginez facilement que je n'en profitai que pour travailler à détruire tout ce qui s'opposait au dessein que Léonore et moi avions de nous réunir à jamais.

J'avais une tante religieuse au même Couvent où on venait d'enfermer Léonore; ce hasard me fit concevoir les plus hardis projets: je contai mes malheurs à cette parente, et fus assez heureux pour l'y trouver sensible; mais comment faire pour me servir, elle en ignorait les moyens.—L'amour me les suggère, lui dis-je, et je vais vous les indiquer.... Vous savez que je ne suis pas mal en fille; je me déguiserai de cette manière; vous me ferez passer pour une parente qui vient vous voir de quelques provinces éloignées; vous demanderez la permission de me faire entrer quelques jours dans votre Couvent.... Vous l'obtiendrez.—Je verrai Léonore, et je serai le plus heureux des hommes.

Ce plan hardi parut d'abord impossible à ma tante; elle y voyait cent difficultés; mais son esprit ne lui en dictait pas une, que mon coeur ne la détruisît à l'instant, et je parvins à la déterminer.

Ce projet adopté, le secret juré de part et d'autre, je déclarai à mon père que j'allais m'exiler, puisqu'il l'exigeait, et que, quelque dur que fût pour moi l'ordre où il me forçait de me soumettre, je le préférais sans doute au mariage de Mademoiselle de Vitri. J'essuyai encore quelques remontrances; on mit tout en usage pour me persuader; mais voyant ma résistance inébranlable, mon père m'embrassa, et nous nous séparâmes.

Je m'éloignai sans doute; mais il s'en fallait bien que ce fût pour obéir à mon père. Sachant qu'il avait placé chez un banquier à Paris une somme très-considérable, destinée à l'établissement qu'il projetait pour moi, je ne crus pas faire un vol en m'emparant d'avance des fonds qui devaient m'appartenir, et muni d'une prétendue lettre de lui, forgée par ma coupable adresse, je me transportai à Paris chez le banquier, je reçus les fonds qui montaient à cent mille écus, m'habillai promptement en femme, pris avec moi une soubrette adroite, et repartis sur-le-champ pour me rendre dans la Ville et dans le Couvent où m'attendait la tante chérie qui roulait bien favoriser mon amour. Le coup que je venais de faire était trop sérieux pour que je m'avisasse de lui en faire part; je ne lui montrai que le simple désir de voir Léonore devant elle, et de me rendre ensuite au bout de quelques jours aux ordres de mon père.... Mais comme il me croyait déjà à ma destination, dis-je à ma tante, il s'agissait de redoubler de prudence; cependant, comme on nous apprit qu'il venait de partir pour ses biens, nous nous trouvâmes plus tranquilles, et dès l'instant nos ruses commencèrent.

Ma tante me reçoit d'abord au parloir, me fait faire adroitement connoissance avec d'autres religieuses de ses amies, témoigne l'envie qu'elle a de m'avoir avec elle, au moins pendant quelques jours, le demande, l'obtient; j'entre, et me voilà sous le même toit que Léonore.

Il faut aimer, pour connaître l'ivresse de ces situations; mon coeur suffit pour les sentir, mais mon esprit ne peut les rendre.

Je ne vis point Léonore le premier jour, trop d'empressement fût devenu suspect. Nous avions de grands ménagemens à garder; mais le lendemain, cette charmante fille, invitée à venir prendre du chocolat chez ma tante, se trouva à côté de moi, sans me reconnaître; déjeuna avec plusieurs autres de ses compagnes, sans se douter de rien, et ne revint enfin de son erreur, que lorsqu'après le repas, ma tante l'ayant retenue la dernière, lui dit, en riant, et me présentant à elle:—Voilà une parente, ma belle cousine, avec laquelle je veux vous faire faire connaissance: examinez-la bien, je vous prie, et dites-moi s'il est vrai, comme elle le prétend, que vous vous êtes déjà vues ailleurs.... Léonore me fixe, elle se trouble; je me jette à ses pieds, j'exige mon pardon, et nous nous livrons un instant au doux plaisir d'être sûrs de passer au moins quelques jours ensemble.

Ma tante crut d'abord devoir être un peu plus sévère; elle refusa de nous laisser seuls; mais je la cajolai si bien, je lui dis un si grand nombre de ces choses douces, qui plaisent tant aux femmes, et sur-tout aux religieuses, qu'elle m'accorda bientôt de pouvoir entretenir tête-à-tête le divin objet de mon coeur.

Léonore, dis-je à ma chère maîtresse, dès qu'il me fut possible de l'approcher: ô Léonore, me voilà en état de vous presser d'exécuter nos sermens; j'ai de quoi vivre, et pour vous, et pour moi, le reste de nos jours. Ne perdons pas un instant, éloignons-nous.—Franchir les murs, me dit Léonore effrayée; nous ne le pourrons jamais.—Rien n'est impossible à l'amour, m'écriai-je; laissez-vous diriger par lui, nous serons réunis demain. Cette aimable fille m'oppose encore quelques scrupules, me fait entrevoir des difficultés; mais je la conjure de ne se rendre, comme moi, qu'au sentiment qui nous enflamme.... Elle frémit.... Elle promet, et nous convenons de nous éviter, et de ne plus nous revoir, qu'au moment de l'exécution. Je vais y réfléchir, lui dis-je, ma tante vous remettra un billet; vous exécuterez ce qu'il contiendra; nous nous verrons encore une fois, pour disposer tout, et nous partirons.

Je ne voulais point mettre ma tante dans une telle confidence. Accepterait-elle de nous servir; ne nous trahirait-elle pas? Ces considérations m'arrêtaient; cependant il fallait agir. Seul, déguisé, dans une maison vaste dont je connoissais à peine les détours et les environs; tout cela était fort difficile; rien ne m'arrêta cependant, et vous allez voir les moyens que je pris.

Après avoir profondément étudié pendant vingt-quatre heures, tout ce que la situation pouvait me permettre, je m'aperçus qu'un sculpteur venait tous les jours dans une chapelle intérieure du couvent, réparer une grande statue de Sainte Ultrogote, patrone de la maison, en laquelle les religieuses avaient une foi profonde; on lui avait vu faire des miracles; elle accordait tout ce qu'on lui demandait. Avec quelques patenôtres, dévotement récitées au bas de son autel, on était sûr de la béatitude céleste. Résolu de tout hasarder, je m'approchai de l'artiste, et après quelques génuflexions préliminaires, je demandai à cet homme, s'il avait autant de foi que ces dames au crédit de la sainte qu'il rajustait. Je suis étrangère dans cette maison, ajoutai-je, et je serais bien aise d'entendre raconter par vous quelques hauts faits de cette bienheureuse.—Bon, dit le sculpteur, en riant, et croyant pouvoir parler avec plus de franchise, d'après le ton qu'il me voyait prendre avec lui.—Ne voyez-vous pas bien que ce sont des béguines, qui croyent tout ce qu'on leur dit. Comment voulez-vous qu'un morceau de bois fasse des choses extraordinaires? Le premier de tous les miracles devrait être de se conserver, et vous voyez bien qu'elle n'en a pas là puissance, puisqu'il faut que je la raccommode. Vous ne croyez pas à toutes ces momeries là, vous, mademoiselle.—Ma foi, pas trop, répondis-je; mais il faut bien faire comme les autres. Et m'imaginant que cette ouverture devait suffir pour le premier jour, je m'en tins là. Le lendemain, la conversation reprit, et continua sur le même ton. Je fus plus loin; je lui donnai beau jeu et il s'enflamma, et je crois que si j'eusse continué de l'émouvoir, l'autel même de la miraculeuse statue, fût devenu le trône de nos plaisirs.... Quand je le vis là, je lui saisis la main. Brave homme, lui dis-je, voyez en moi, au lieu d'une fille, un malheureux amant, dont vous pouvez faire le bonheur.—Oh ciel! monsieur, vous allez nous perdre tous deux.—Non, écoutez-moi; servez-moi, secourez-moi, et votre fortune est faite; et en disant cela, pour donner plus de force à mes discours, je lui glissai un rouleau de vingt-cinq louis, l'assurant que je n'en resterais pas là, s'il voulait m'être utile.—Eh bien, qu'exigez-vous?—Il y a ici une jeune pensionnaire que j'adore, elle m'aime, elle consent à tout, je veux l'enlever, et l'épouser; mais je ne le puis, sans votre secours.—Et comment puis-je vous être utile?— Rien de plus simple; brisons les deux bras de cette statue, dites qu'elle est en mauvais état, que quand vous avez voulu la réparer, elle s'est démantibulée toute seule, qu'il vous est impossible de la rajuster ici; qu'il est indispensable qu'elle soit emportée chez vous.... On y consentira, on y est trop attaché, pour ne pas accepter tout ce qui peut la conserver.... Je viendrai seul la nuit, achever de la rompre; j'en absorberai les morceaux, ma maîtresse, enveloppée sous les attirails qui parent cette statue, viendra se mettre à sa place, vous la couvrirez d'un grand drap, et aidé d'un de vos garçons, vous l'emporterez de bon matin dans votre atelier; une femme à nous s'y trouvera; vous lui remettrez l'objet de mes voeux; je serai chez vous deux heures après; vous accepterez de nouvelles marques de ma reconnaissance, vous direz ensuite à vos religieuses, que la statue est tombée en poussière, quand vous avez voulu y mettre le ciseau, et que vous allez leur en faire une neuve. Mille difficultés s'offrirent aux yeux d'un homme qui, moins épris que moi, voyait sans-doute infiniment mieux. Je n'écoutai rien, je ne cherchai qu'à vaincre; deux nouveaux rouleaux y réussirent, et nous nous mîmes dès l'instant à l'ouvrage. Les deux bras furent impitoyablement cassés. Les religieuses appelées, le projet du transport de la sainte approuvé, il ne fut plus question que d'agir.

Ce fut alors que j'écrivis le billet convenu à Léonore; je lui recommandai de se trouver le soir même à l'entrée de la chapelle de Sainte Ultrogote avec le moins de vêtemens possible, parce que j'en avois de sanctifiés à lui fournir, dont la vertu magique seroit de la faire aussitôt disparoître du couvent.

Léonore ne me comprenant point, vint aussitôt me trouver chez ma tante. Comme nous avions ménagé nos rendez-vous, ils n'étonnèrent personne. On nous laissa seuls un instant, et j'expliquai tout le mystère.

Le premier mouvement de Léonore fut de rire. L'esprit qu'elle avait ne s'arrangeant pas avec le bigotisme, elle ne vit d'abord rien que de très-plaisant au projet de lui faire prendre la place d'une statue miraculeuse; mais la réflexion refroidit bientôt sa gaîté.... Il fallait passer la nuit là.... Quelque chose pouvait s'entendre; les Nones.... Celles, au moins, qui couchaient près de cette chapelle, n'avaient qu'à s'imaginer que le bruit qui en venait, était occasionné par la Sainte, furieuse de son changement; elles n'avaient qu'à venir examiner, découvrir.... Nous étions perdus; dans le transport, pouvait-elle répondre d'un mouvement?... Et si on levait le drap, dont elle serait couverte.... Si enfin.... Et mille objections, toutes plus raisonnables les unes que les autres, et que je détruisis d'un seul mot, en assurant Léonore qu'il y avait un Dieu pour les amans, et que ce Dieu imploré par nous, accomplirait infailliblement nos voeux, sans que nul obstacle vint en troubler l'effet.

Léonore se rendit, personne ne couchait dans sa chambre; c'était le plus essentiel. J'avais écrit à la femme qui m'avait accompagné de Paris, de se trouver le lendemain, de très-grand matin, chez le sculpteur, dont je lui envoyais l'adresse; d'apporter des habits convenables pour une jeune personne presque nue, qu'on lui remettrait, et de l'emmener aussi-tôt à l'auberge où nous étions descendus, de demander des chevaux de poste pour neuf heures précises du matin; que je serais sans faute, de retour à cette heure, et que nous partirions de suite.

Tout allant à merveille de ce côté, je ne m'occupai plus que des projets intérieurs; c'est-à-dire des plus difficiles, sans-doute.

Léonore prétexta un mal de tête, afin d'avoir le droit de se retirer de meilleure heure, et dès qu'on la crut couchée, elle sortit, et vint me trouver dans la chapelle, où j'avais l'air d'être en méditation. Elle s'y mit comme moi; nous laissames étendre toutes les nones sur leurs saintes couches, et dès que nous les supposames ensevelies dans les bras du sommeil, nous commençames à briser et à réduire en poudre la miraculeuse statue, ce qui nous fut fort aisé, vu l'état dans lequel elle était. J'avais un grand sac, tout prêt, au fond duquel étaient placées quelques grosses pierres. Nous mimes dedans les débris de la sainte, et j'allai promptement jetter le tout dans un puits. Léonore, peu vêtue, s'affubla aussi-tôt des parures de Sainte-Ultrogote; je l'arrangeai dans la situation penchée, où le sculpteur l'avait mise, pour la travailler. Je lui emmaillotai les bras, je mis à côté d'elle, ceux de bois, que nous avions cassé la veille, et après lui avoir donné un baiser.... Baiser délicieux, dont l'effet fut sur moi bien plus puissant que les miracles de toutes les Saintes du Ciel; je fermai le temple où reposait ma déesse, et me retirai tout rempli de son culte.

Le lendemain, de grand matin, le sculpteur entra, suivi d'un de ses élèves, tous deux munis d'un drap. Ils le jetterent sur Léonore, avec tant de promptitude et d'adresse, qu'une none qui les éclairait, ne put rien découvrir; l'artiste aidé de son garçon, emporta la prétendue Sainte; ils sortirent, et Léonore reçue par la femme qui l'attendait, se trouva à l'auberge indiquée, sans avoir éprouvé d'obstacle à son évasion.

J'avais prévenu de mon départ. Il n'étonna personne. J'affectai, au milieu de ces dames, d'être surpris de ne point voir Léonore, on me dit qu'elle était malade. Très en repos sur cette indisposition, je ne montrai qu'un intérêt médiocre. Ma tante, pleinement persuadée que nous nous étions fait nos adieux mystérieusement, la veille, ne s'étonna point de ma froideur, et je ne pensai plus qu'à revoler avec empressement, où m'attendait l'objet de tous mes voeux.

Cette chère fille avait passé une nuit cruelle, toujours entre la crainte et l'espérance; son agitation avait été extrême; pour achever de l'inquiéter encore plus, une vieille religieuse était venue pendant la nuit prendre congé de la Sainte; elle avait marmotté plus d'une heure, ce qui avait presqu'empêché Léonore de respirer; et à la fin des patenôtres, la vieille bégueule en larmes avait voulu la baiser au visage; mais mal éclairée, oubliant sans doute le changement d'attitude de la statue, son acte de tendresse s'était porté vers une partie absolument opposée à la tête; sentant cette partie couverte, et imaginant bien qu'elle se trompait, la vieille avait palpé pour se convaincre encore mieux de son erreur. Léonore extrêmement sensible, et chatouillée dans un endroit de son corps dont jamais nulle, main ne s'était approchée, n'avait pu s'empêcher de tressaillir ; la none avait pris le mouvement pour un miracle; elle s'était jettée à genoux, sa ferveur avait redoublé; mieux guidée dans ses nouvelles recherches, elle avait réussi à donner un tendre baiser sur le front de l'objet de son idolâtrie, et s'était enfin retirée.

Après avoir bien ri de cette aventure, nous partîmes, Léonore, la femme que j'avais amenée de Paris, un laquais et moi; il s'en fallut de bien peu que nous ne fissions naufrage dès le premier jour. Léonore fatiguée, voulut s'arrêter dans une petite ville qui n'était pas à dix lieues de la nôtre: nous descendîmes dans une auberge; à peine y étions-nous, qu'une voiture en poste s'arrêta pour y dîner comme nous.... C'était mon père; il revenait d'un de ses châteaux; il retournait à la ville, l'esprit bien loin de ce qui s'y passait. Je frémis encore quand je pense à cette rencontre; il monte; on l'établit dans une chambre absolument voisine de la nôtre, là, ne croyant plus pouvoir lui échapper, je fus prêt vingt fois à aller me jeter à ses pieds pour tâcher d'obtenir le pardon de mes fautes; mais je ne le connaissais pas assez pour prévoir ses résolutions, je sacrifiais entièrement Léonore par cette démarche; je trouvai plus à propos de me déguiser et de partir fort vite. Je fis monter l'hôtesse; je lui dis que le hasard venait de faire arriver chez elle un homme à qui je devais deux cents louis; que ne me trouvant ni en état, ni en volonté de le payer à présent, je la priai de ne rien dire, et de m'aider même au déguisement que j'allais prendre pour échapper à ce créancier. Cette femme, qui n'avait aucun intérêt à me trahir, et à laquelle je payai généreusement notre dépense, se prêta de tout son coeur à la plaisanterie.

Léonore et moi nous changeâmes d'habit, et nous passâmes ainsi tous deux effrontément devant mon père, sans qu'il lui fût possible de nous reconnaître, quelqu'attention qu'il eût l'air de prendre à nous. Le risque que nous venions de courir décida Léonore à moins écouter l'envie qu'elle avait de s'arrêter par-tout, et notre projet étant de passer en Italie, nous gagnâmes Lyon d'une traite.

Le Ciel m'est témoin que j'avais respecté jusqu'alors la vertu de celle dont je voulais faire ma femme; j'aurais cru diminuer le prix que j'attendais de l'hymen, si j'avais permis à l'amour de le cueillir. Une difficulté bien mal entendue détruisit notre mutuelle délicatesse, et la grossière imbécillité du refus de ceux que nous fûmes implorer, pour prévenir le crime, fut positivement ce qui nous y plongea tous deux[2]. O Ministres du

Ciel, ne sentirez-vous donc jamais qu'il y a mille cas où il vaut mieux se prêter à un petit mal, que d'en occasionner un grand, et que cette futile approbation de votre part, à laquelle on veut bien se prêter, est pourtant bien moins importante que tous les dangers qui peuvent résulter du refus. Un grand Vicaire de l'Archevêque, auquel nous nous adressâmes, nous renvoya avec dureté; trois Curés de cette ville nous firent éprouver les mêmes désagrémens, quand Léonore et moi, justement irrités de cette odieuse rigueur, résolûmes de ne prendre que Dieu pour témoin de nos sermens, et de nous croire aussi bien mariés en l'invoquant aux pieds de ses autels, que si tout le sacerdoce romain eût revêtu notre hymen de ses formalités; c'est l'âme, c'est l'intention que l'Éternel désire, et quand l'offrande est pure, le médiateur est inutile.

Léonore et moi, nous nous transportâmes à la Cathédrale, et là, pendant le sacrifice de la messe, je pris la main de mon amante, je lui jurai de n'être jamais qu'à elle, elle en fit autant; nous nous soumîmes tous deux à la vengeance du Ciel, si nous trahissions nos sermens; nous nous protestâmes de faire approuver notre hymen dès que nous en aurions le pouvoir, et dès le même jour la plus charmante des femmes me rendit le plus heureux des époux.

Mais ce Dieu que nous venions d'implorer avec tant de zèle, n'avait pas envie de laisser durer notre bonheur: vous allez bientôt voir par quelle affreuse catastrophe il lui plut d'en troubler le cours.

Nous gagnâmes Venise sans qu'il nous arrivât rien d'intéressant; j'avais quelque envie de me fixer dans cette ville, le nom de Liberté, de République, séduit toujours les jeunes gens; mais nous fûmes bientôt à même de nous convaincre, que si quelque ville dans le monde est digne de ce titre, ce n'est assurément pas celle-là, à moins qu'on ne l'accorde à l'État que caractérise la plus affreuse oppression du peuple, et la plus cruelle tyrannie des grands.

Nous nous étions logés à Venise sur le grand canal, chez un nommé Antonio, qui tient un assez bon logis, aux armes de France, près le pont de Rialto; et depuis trois mois, uniquement occupés de visiter les beautés de cette ville flottante, nous n'avions encore songé qu'aux plaisirs; hélas! l'instant de la douleur arrivait, et nous ne nous en doutions point. La foudre grondait déjà sur nos têtes, quand nous ne croyions marcher que sur des fleurs.

Venise est entourée d'une grande quantité d'isles charmantes, dans lesquelles le citadin aquatique quittant ses lagunes empestées, va respirer de tems en tems quelques atomes un peu moins mal sains. Fidèles imitateurs de cette conduite, et l'isle de Malamoco plus agréable, plus fraîche qu'aucune de celles que nous avions vues, nous attirant davantage, il ne se passait guères de semaines que Léonore et moi n'allassions y dîner deux ou trois fois. La maison que nous préférions était celle d'une veuve dont on nous avait vanté la sagesse; pour une légère somme, elle nous apprêtait un repas honnête, et nous avions de plus tout le jour la jouissance de son joli jardin. Un superbe figuier ombrageait une partie de cette charmante promenade; Léonore, très-friande du fruit de cet arbre, trouvait un plaisir singulier à aller goûter sous le figuier même, et à choisir là tour-à-tour les fruits qui lui paraissaient les plus mûrs.

Un jour ... ô fatale époque de ma vie!... Un jour que je la vis dans la grande ferveur de cette innocente occupation de son âge, séduit par un motif de curiosité, je lui demandai la permission de la quitter un moment, pour aller voir, à quelques milles de là, une abbaye célèbre, par les morceaux fameux du Titien et de Paul Véronèse, qui s'y conservaient avec soin. Émue d'un mouvement dont elle ne parut pas être maîtresse. Léonore me fixa. Eh bien! me dit-elle, te voilà déjà mari; tu brûles de goûter des plaisirs sans ta femme.... Où vas-tu, mon ami; quel tableau peut donc valoir l'original que tu possèdes?—Aucun assurément, lui dis-je, et tu en es bien convaincue; mais je sais que ces objets t'amusent peu; c'est l'affaire d'une heure; et ces présens superbes de la nature, ajoutai-je, en lui montrant des figues, sont bien préférables aux subtilités de l'art, que je désire aller admirer un instant.... Vas, mon ami, me dit cette charmante fille, je saurai être une heure sans toi, et se rapprochant de son arbre: vas, cours à tes plaisirs, je vais goûter les miens.... Je l'embrasse, je la trouve en larmes.... Je veux rester, elle m'en empêche; elle dit que c'est un léger moment de faiblesse, qu'il lui est impossible de vaincre. Elle exige que j'aille où la curiosité m'appelle, m'accompagne au bord de la gondole, m'y voit monter, reste au rivage, pendant que je m'éloigne, pleure encore, au bruit des premiers coups de rames, et rentre à mes yeux, dans le jardin. Qui m'eût dit, que tel était l'instant qui allait nous séparer! et que dans un océan d'infortune, allaient s'abîmer nos plaisirs....Eh quoi, interrompit ici madame de Blamont; vous ne faites donc que de vous réunir? Il n'y a que trois semaines que nous le sommes, madame, répondit Sainville, quoiqu'il y ait trois ans que nous ayons quitté notre patrie.—Poursuivez, poursuivez, Monsieur; cette catastrophe annonce deux histoires, qui promettent bien de l'intérêt.

Ma course ne fut pas longue, reprit Sainville; les pleurs de Léonore m'avaient tellement inquiété, qu'il me fut impossible de prendre aucun plaisir à l'examen que j'étais allé faire. Uniquement occupé de ce cher objet de mon coeur, je ne songeais plus qu'à venir la rejoindre. Nous atteignons le rivage.... Je m'élance.... Je vole au jardin,... et au lieu de Léonore, la veuve, la maîtresse du logis, se jette vers moi, toute en larmes ... me dit qu'elle est désolée, qu'elle mérite toute ma colère.... Qu'à peine ai-je été à cent pas du rivage, qu'une gondole, remplie de gens qu'elle ne connaît pas, s'est approchée de sa maison, qu'il en est sorti six hommes masqués, qui ont enlevé Léonore, l'ont transportée dans leur barque, et se sont éloignés avec rapidité, en gagnant la haute mer.... Je l'avoue, ma première pensée fut de me précipiter sur cette malheureuse, et de l'abattre d'un seul coup à mes pieds. Retenu par la faiblesse de son sexe, je me contentai de la saisir au col, et de lui dire, en colère, qu'elle eût à me rendre ma femme, ou que j'allais l'étrangler à l'instant.... Exécrable pays, m'écriai-je, voilà donc la justice qu'on rend dans cette fameuse république! Puisse le ciel m'anéantir et m'écraser à l'instant avec elle, si je ne retrouve pas celle qui m'est chère.... A peine ai-je prononcé ces mots, que je suis entouré d'une troupe de sbires; l'un d'eux s'avance vers moi; me demande si j'ignore qu'un étranger ne doit, à Venise, parler du gouvernement, en quoi que ce puisse être; scélérat, répondis-je, hors de moi, il en doit dire et penser le plus grand mal, quand il y trouve le droit des gens et l'hospitalité aussi cruellement violés.... Nous ignorons ce que vous voulez dire, répondit l'alguasil; mais ayez pour agréable de remonter dans votre gondole, et de vous rendre sur-le-champ prisonnier dans votre auberge, jusqu'à ce que la république ait ordonné de vous.

Mes efforts devenaient inutiles, et ma colère impuissante; je n'avais plus pour moi que des pleurs, qui n'attendrissaient personne, et des cris qui se perdaient dans l'air. On m'entraîne. Quatre de ces vils fripons m'escortent, me conduisent dans ma chambre, me consignent à Antonio, et vont rendre compte de leur scélératesse.

C'est ici où les paroles manquent au tableau de ma situation! Et comment vous rendre, en effet, ce que j'éprouvai, ce que je devins, quand je revis cet appartement, duquel je venais de sortir, depuis quelques heures, libre et avec ma Léonore, et dans lequel je rentrais prisonnier, et sans elle. Un sentiment pénible et sombre succéda bientôt à ma rage ... Je jetai les yeux sur le lit de mon amante, sur ses robes, sur ses ajustemens, sur sa toilette; mes pleurs coulaient avec abondance, en m'approchant de ces différentes choses. Quelquefois, je les observais avec le calme de la stupidité. L'instant d'après, je me précipitais dessus avec le délire de l'égarement.... La voilà, me disais-je, elle est ici.... Elle repose.... Elle va s'habiller.... Je l'entends; mais trompé par une cruelle illusion, qui ne faisait qu'irriter mon chagrin, je me roulais au milieu de la chambre; j'arrosais le plancher de mes larmes, et faisais retentir la voûte de mes cris. O Léonore! Léonore! c'en est donc fait, je ne te verrai plus.... Puis, sortant, comme un furieux, je m'élançais sur Antonio, je le conjurais d'abréger ma vie; je l'attendrissais par ma douleur; je l'effrayais par mon désespoir.

Cet homme, avec l'air de la bonne foi, me conjura de me calmer; je rejetai d'abord ses consolations: l'état dans lequel j'étais permettait-il de rien entendre.... Je consentis enfin à l'écouter.—Soyez pleinement en repos sur ce qui vous regarde, me dit-il d'abord; je ne prévois qu'un ordre de vous retirer dans vingt-quatre heures des terres de la république, elle n'agira sûrement pas plus sévèrement avec vous.—Eh! Que m'importe ce que je deviendrai; c'est Léonore que je veux, c'est elle que je vous demande.—Ne vous imaginez pas qu'elle soit à Venise; le malheur dont elle est victime est arrivé à plusieurs autres étrangères, et même à des femmes de la ville: il se glisse souvent dans le canal des barques turques; elles se déguisent, on ne les reconnaît point; elles enlèvent des proies pour le serrail, et quelques précautions que prenne la république, il est impossible d'empêcher cette piraterie. Ne doutez point que ce ne soit là le malheur de votre Léonore: la veuve du jardin de Malamoco n'est point coupable, nous la connaissons tous pour une honnête femme; elle vous plaignait de bonne foi, et peut-être que, sans votre emportement, vous en eussiez appris davantage. Ces isles, continuellement remplies d'étrangers, le sont également d'espions, que la République y entretien; vous avez tenu des propos, voilà la seule raison de vos arrêts.—Ces arrêts ne sont pas naturels, et votre gouvernement sait bien ce qu'est devenue celle que j'aime; ô mon ami! faites-là moi rendre, et mon sang est à vous.—Soyez franc, est-ce une fille enlevée en France? Si cela est, ce qui vient de se faire pourrait bien être l'ouvrage des deux Cours; cette circonstance changerait absolument la face des choses.... Et me voyant balbutier:—Ne me cachez rien, poursuit Antonio, apprenez-moi ce qui en est, je vole à l'instant m'informer; soyez certain qu'à mon retour je vous apprendrai si votre femme a été enlevée par ordre pu par surprise.—Eh bien! répondis-je avec cette noble candeur de la jeunesse, qui, toute honorable qu'elle est, ne sert pourtant qu'à nous faire tomber dans tous les pièges qu'il plaît au crime de nous tendre.... Eh bien! je vous l'avoue, elle est ma femme, mais à l'insçu de nos parens.—Il suffit, me dit Antonio, dans moins d'une heure vous saurez tout.... Ne sortez point, cela gâterait vos affaires, cela vous priverait des éclaircissemens que vous avez droit d'espérer. Mon homme part et ne tarde pas à reparaître.

On ne se doute point, me dit-il, du mystère de votre intrigue; l'Ambassadeur ne sait rien, et notre République nullement fondée à avoir les yeux sur votre conduite, vous aurait laissé toute votre vie tranquille sans vos blasphèmes sur son gouvernement; Léonore est donc sûrement enlevée par une barque turque; elle était guettée depuis un mois; il y avait dans le canal six petits bâtimens armés qui l'escortèrent, et qui sont déjà à plus de vingt lieues en mer. Nos gens ont couru, ils ont vu, mais il leur a été impossible de les atteindre. On va venir vous apporter les ordres du Gouvernement, obéissez-y; calmez-vous, et croyez que j'ai fait pour vous tout ce qui pouvait dépendre de moi.

A peine Antonio eut-il effectivement cessé de me donner ces cruelles lumières, que je vis entrer ce même chef des Sbires qui m'avait arrêté; il me signifia l'ordre de partir dès le lendemain au matin; il m'ajouta que, sans la raison que j'avais effectivement de me plaindre, on n'en aurait pas agi avec autant de douceur; qu'on voulait bien pour ma consolation me certifier que cet enlèvement ne s'était point fait par aucun malfaiteur de la République, mais uniquement par des barques des Dardanelles qui se glissaient ainsi dans la mer adriatique, sans qu'il fût possible d'arrêter leurs désordres, quelques précautions que l'on pût prendre.... Le compliment fait, mon homme se retira, en me priant de lui donner quelques sequins pour l'honnêteté qu'il avait eue de ne me consigner que dans mon hôtel, pendant qu'il pouvait me conduire en prison.

J'étais infiniment plus tenté, je l'avoue, d'écraser ce coquin, que de lui donner pour boire, et j'allai le faire sans doute, quand Antonio me devinant, s'approcha de moi, et me conjura de satisfaire cet homme. Je le fis, et chacun s'étant retiré, je me replongeai dans l'affreux désespoir qui déchirait mon âme.... A peine pouvais-je réfléchir, jamais un dessein constant ne parvenait à fixer mon imagination; il s'en présentait vingt à-la-fois, mais aussitôt rejetés que conçus, ils faisaient à l'instant place à mille autres dont l'exécution était impossible. Il faut avoir connu une telle situation pour en juger, et plus d'éloquence que moi pour la peindre. Enfin, je m'arrêtai au projet de suivre Léonore, de de la devancer si je pouvais à Constantinople, de la payer de tout mon bien au barbare qui me la ravissait, et de la soustraire au prix de mon sang, s'il le fallait, à l'affreux sort qui lui était destiné. Je chargeai Antonio de me fréter une felouque; je congédiai la femme que nous avions amené, et la récompensai sur le serment qu'elle me fit que je n'aurais jamais rien à craindre de son indiscrétion.

La felouque se trouva prête le lendemain au matin, et vous jugez si c'est avec joie que je m'éloignai de ces perfides bords. J'avais 15 hommes d'équipage, le vent était bon; le surlendemain, de bonne heure, nous aperçûmes la pointe de la fameuse citadelle de Corfou, frère rivale de Gibraltar, et peut-être aussi imprenable que cette célèbre clef de l'Europe[3]; le cinquième jour nous doublâmes le Cap de Morée, nous entrâmes dans l'Archipel, et le septième au soir, nous touchâmes Pera.

Aucun bâtiment, excepté quelques barques de pêcheurs de Dalmatie, ne s'était offert à nous durant la traversée; nos yeux avaient eu beau se tourner de toutes parts, rien d'intéressant ne les avait fixés.... Elle a trop d'avance, me disais-je, il y a long-tems qu'elle est arrivée.... O ciel! elle est déjà dans les bras d'un monstre que je redoute ... je ne parviendrai jamais à l'en arracher.

Le Comte de Fierval était pour lors Ambassadeur de notre Cour à la Porte; je n'avais aucune liaison avec lui; en eussé-je eu d'ailleurs, aurai-je osé me découvrir? C'était pourtant le seul être que je pusse implorer dans mes malheurs, le seul dont je pusse tirer quelqu'éclaircissement: je fus le trouver, et lui laissant voir ma douleur, ne lui cachant aucune circonstance de mon aventure, ne lui déguisant que mon nom et celui de ma femme, je le conjurai d'avoir quelque pitié de mes maux, et de vouloir bien m'être utile, ou par ses actions, ou par ses conseils.

Le Comte m'écouta avec toute l'honnêteté, avec tout l'intérêt que je devais attendre d'un homme de ce caractère.... Votre situation est affreuse, me dit-il; si vous étiez en état de recevoir un conseil sage, je vous donnerais celui de retourner en France, de faire votre paix avec vos parens, et de leur apprendre le malheur épouvantable qui vous est arrivé.—Et le puis-je, Monsieur, lui dis-je; puis-je exister où ne sera pas ma Léonore! Il faut que je la retrouve, ou que je meure.—Eh bien! me dit le Comte, je vais faire pour vous tout ce que je pourrai ... peut-être plus que ne devrait me le permettre ma place.... Avez-vous un portrait de Léonore?—En voici un assez ressemblant, autant au moins qu'il est possible à l'art d'atteindre à ce que la nature a de plus parfait.—Donnez-le moi: demain matin à cette même heure, je vous dirai si votre femme est dans le serrail. Le Sultan m'honore de ses bontés: je lui peindrai le désespoir d'un homme de ma nation; il me dira s'il possède ou non cette femme; mais réfléchissez-y bien, peut-être allez-vous accroître votre malheur: s'il l'a, je ne vous réponds pas qu'il me la rende.... Juste ciel! elle serait dans ces murs, et je ne pourrais l'en arracher.... Oh! Monsieur, que me dites-vous? peut-être aimerai-je mieux l'incertitude.—Choisissez.—Agissez, Monsieur, puisque vous voulez bien vous intéresser à mes malheurs; agissez: et si le Sultan possède Léonore, s'il se refuse à me la rendre, j'irai mourir de douleur aux pieds des murs de son serrail; vous lui ferez savoir ce que lui coûte sa conquête; vous lui direz qu'il ne l'achète qu'aux dépends de la vie d'un infortuné.

Le Comte me serra la main, partagea ma douleur, la respecta et la servit, bien différent en cela de ces ministres ordinaires, qui, tout bouffis d'une vaine gloire, accordent à peine à un homme le tems de peindre ses malheurs, le repoussent avec dureté, et comptent au rang de leurs momens perdus ceux que la bienséance les oblige à prêter l'oreille aux malheureux.

Gens en place, voilà votre portrait: vous croyez nous en imposer en alléguant sans cesse une multitude d'affaires, pour prouver l'impossibilité de vous voir et de vous parler; ces détours, trop absurdes, trop usés, pour en imposer encore, ne sont bons qu'à vous faire mépriser; ils ne servent qu'à faire médire de la nation, qu'à dégrader son gouvernement. O France! tu t'éclaireras un jour, je l'espère: l'énergie de tes citoyens brisera bientôt le sceptre du despotisme et de la tyrannie, et foulant à tes pieds les scélérats qui servent l'un et l'autre, tu sentiras qu'un peuple libre par la nature et par son génie, ne doit être gouverné que par lui-même[4].

Dès le même soir, le Comte de Fierval me fit dire qu'il avait à me parler, j'y courus.—Vous pouvez, me dit-il, être parfaitement sûr que Léonore n'est point au serrail; elle n'est même point à Constantinople. Les horreurs qu'on a mis à Venise sur le compte de cette Cour n'existent plus: depuis des siècles on ne fait point ici le métier de corsaire; un peu plus de réflexion m'aurait fait vous le dire, si j'eusse été occupé d'autre chose, quand vous m'en avez parlé, que du plaisir de vous être utile. A supposer que Venise ne vous en a point imposé sur le fait, et que réellement Léonore ait été enlevée par des barques déguisées, ces barques appartiennent aux États Barbaresques, qui se permettent quelquefois ce genre de piraterie; ce n'est donc que là qu'il vous sera possible d'apprendre quelque chose. Voilà le portrait que vous m'avez confié; je ne vous retiens pas plus long-tems dans cette Capitale.—Si vos parens faisaient des recherches, si l'on m'envoyait quelques ordres, je serais obligé de changer la satisfaction réelle que je viens d'éprouver en vous servant, contre la douleur de vous faire peut-être arrêter.... Eloignez-vous.... Si vous poursuivez vos recherches, dirigez-les sur les cotes d'Afrique.... Si vous voulez mieux faire, retournez en France, il sera toujours plus avantageux pour vous de faire la paix avec vos parens, que de continuer à les aigrir par une plus longue absence.

Je remerciai sincèrement le Comte, et la fin de son discours m'ayant fait sentir qu'il serait plus prudent à moi de lui déguiser mes projets, que de lui en faire part ... que peut-être même il désirait que j'agisse ainsi; je le quittai, le comblant des marques de ma reconnaissance, et l'assurant que j'allais réfléchir à l'un ou l'autre des plans que son honnêteté me conseillait.

Je n'avais ni payé, ni congédié ma felouque; je fis venir le patron, je lui demandai s'il était en état de me conduire à Tunis. «Assurément, me dit-il, à Alger, à Maroc, sur toute la côte d'Afrique, votre Excellence n'a qu'à parler». Trop heureux dans mon malheur de trouver un tel secours; j'embrassai ce marinier de toute mon âme.—O brave homme! lui dis-je avec transport ... ou il faut que nous périssions ensemble, ou il faut que nous retrouvions Léonore.

Il ne fut pourtant pas possible de partir, ni le lendemain, ni le jour d'après: nous étions dans une saison où ces parages sont incertains; le tems était affreux: nous attendîmes. Je crus inutile de paraître davantage chez le Ministre de France.... Que lui dire? Peut-être même le servais-je en n'y reparaissant plus. Le ciel s'éclaircit enfin, et nous nous mîmes en mer; mais ce calme n'était que trompeur: la mer ressemble à la fortune, il ne faut jamais se défier autant d'elle, que quand elle nous rit le plus.

A peine eûmes-nous quitté l'Archipel, qu'un vent impétueux troublant la manoeuvre des rames, nous contraignit à faire de la voile; la légèreté du bâtiment le rendit bientôt le jouet de la tempête, et nous fûmes trop heureux de toucher Malte le lendemain sans accident. Nous entrâmes sous le fort Saint-Elme dans le bassin de la Valette, ville bâtie par le Commandeur de ce nom en 1566. Si j'avais pu penser à autre chose qu'à Léonore, j'aurais sans doute remarqué la beauté des fortifications de cette place, que l'art et la nature rendent absolument imprenables. Mais je ne m'occupai qu'à prendre vite une logement dans la ville, en attendant que nous en puissions repartir avec plus de promptitude encore, et cela devenant impossible pour le même soir, je me résolus à passer la nuit dans le cabaret où nous étions.

Il était environ neuf heures du soir, et j'allais essayer de trouver quelques instants de repos, lorsque j'entendis beaucoup de bruit dans la chambre à coté de la mienne. Les deux pièces n'étant séparées que par quelques planches mal jointes, il me fut aisé de tout voir et de tout entendre. J'écoute ... j'observe ... quel singulier spectacle s'offre à mes regards! trois hommes qui me paraissent Vénitiens, placèrent dans cette chambre une grande caisse couverte de toile cirée; dès que ce meuble est apporté, celui qui paraît être le chef, s'enferme seul, lève la toile qui couvre la caisse, et je vois une bière.—O malheureux! s'écrie cet homme, je suis perdu; elle est morte ... elle n'a plus de mouvement.... Ce personnage est-il fou, me dis-je à moi-même.... Eh quoi! il s'étonne qu'il y ait un mort dans ce cercueil!... Mais pourquoi ce meuble funèbre, continue-je. Quelle apparence qu'il fût là, s'il ne contenait un mort! et mes réflexions font place à la plus grande surprise, quand je vois celui qui avait parlé, ouvrir la bière, et en retirer dans ses bras le corps d'une femme; comme elle était habillée, je reconnus bientôt qu'elle n'était qu'en syncope, et qu'elle avait sûrement été mise en vie dans ce cercueil. Ah! Je le savais bien, continua le personnage, je le savais bien qu'elle ne résisterait pas là-dedans à la tempête; quel besoin de la laisser dans cette position, dès que nos étions sûrs de n'être pas suivi.... O juste ciel!;... et pendant ce tems-là, il déposait cette femme sur un lit; il lui tâtait le poulx,.et s'apercevant sans doute qu'il avait encore du mouvement, il sauta de joie.—Jour heureux! s'écria-t-il, elle n'est qu'évanouie!... Fille charmante, je ne serai point privé des plaisirs que j'attends de toi; je te sommerai de ta parole, tu seras ma femme, et mes peines ne seront pas perdues.... Cet homme sortit en même-tems d'une petite caisse des flacons, des lancettes, et se préparait à donner toutes sortes de secours à cette infortunée, dont la situation où elle avait été placée m'avait toujours empêché de distinguer les traits.

J'en étais là de mon examen, très-curieux de découvrir la suite de cette aventure, lorsque le patron de ma felouque entra brusquement dans ma chambre.—Excellence, me dit-il, ne vous couchez pas, la lune se lève, le tems est beau, nous dînons demain à Tunis, si votre Excellence veut se dépêcher.

Trop occupé de mon amour, trop rempli du seul désir d'en retrouver l'objet, pour perdre à une aventure étrangère les momens destinés à Léonore, je laisse là ma belle évanouie, et vole au plutôt sur mon bâtiment: les rames gémissent; le tems fraîchit; la lune brille; les matelots chantent; et nous sommes bientôt loin de Malte.... Malheureux que j'étais! où ne nous entraîne pas la fatalité de notre étoile.... Ainsi que le chien infortuné de la fable, je laissais la proie pour courir après l'ombre, j'allais m'exposer à mille nouveaux dangers pour découvrir celle que le hasard venait de mettre dans mes mains.

O grand Dieu! s'écria Madame de Blamont, quoi! Monsieur, la belle morte était votre Léonore?—Oui, Madame, je lui laisse le soin de vous apprendre elle-même ce qui l'avait conduite là.... Permettez que je continue; peut-être verrez-vous encore la fortune ennemie se jouer de moi avec les mêmes caprices; peut-être me verrez-vous encore, toujours faible, toujours occupé de ma profonde douleur, fuir la prospérité qui luit un instant, pour voler où m'entraîne malgré moi la sévérité de mon sort.

Nous commencions avec l'aurore à découvrir la terre; déjà le Cap Bon s'offrait à nos regards, quand un vent d'Est s'élevant avec fureur, nous permit à peine de friser la côte d'Afrique, et nous jeta avec une impétuosité sans égalé vers le détroit de Gibraltar; la légèreté de notre bâtiment le rendait avec tant de facilité la proie de la tempête, que nous ne fûmes pas quarante heures à nous trouver en travers du détroit. Peu accoutumés à de telles courses sur des barques si frêles, nos matelots se croyaient perdus; il n'était plus question de manoeuvres, nous ne pouvions que carguer à la hâte une mauvaise voile déjà toute déchirée, et nous abandonner à la volonté du Ciel, qui, s'embarrassant toujours assez peu du voeu des hommes, ne lés sacrifie pas moins, malgré leurs inutiles prières, à tout ce que lui inspire la bizarrerie de ses caprices. Nous passâmes ainsi le détroit, non sans risquer à chaque instant d'échouer contre l'une ou l'autre terre; semblables à ces débris que l'on voit, errants au hasard et tristes jouets des vagues, heurter chaque écueil tour-à-tour, si nous échappions au naufrage sur les côtes d'Afrique, ce n'était que pour le craindre encore plus sur les rives d'Espagne.

Le vent changea sitôt que nous eûmes débouqué le détroit; il nous rabattit sur la côte occidentale de Maroc, et cet empire étant un de ceux où j'aurais continué mes recherches, à supposer qu'elles se fussent trouvées infructueuses dans les autres États barbaresques, je résolus d'y prendre terre. Je n'avais pas besoin de le désirer, mon équipage était las de courir: le patron m'annonça dès que nous fûmes au port de Salé, qu'à moins que je ne voulusse revenir en Europe, il ne pouvait pas me servir plus long-tems; il m'objecta que sa felouque peu faite à quitter les ports d'Italie, n'était pas en état d'aller plus loin, et que j'eusse à le payer ou à me décider au retour.—Au retour, m'écriai-je, eh! ne sais-tu donc pas que je préférerais la mort à la douleur de reparaître dans ma patrie sans avoir retrouvé celle que j'aime. Ce raisonnement fait pour un coeur sensible, eut peu d'accès sur l'âme d'un matelot, et le cher patron, sans en être ému, me signifia qu'en ce cas il fallait prendre congé l'un de l'autre.—Que devenir! Était-ce en Barbarie où je devais espérer de trouver justice contre un marinier Vénitien? Tous ces gens-là, d'ailleurs, se tiennent d'un bout de l'Europe à l'autre: il fallut se soumettre, payer le patron, et s'en séparer.

Bien résolu de ne pas rendre ma course Inutile dans ce royaume, et d'y poursuivre au moins les recherches que j'avais projetées, je louai des mulets à Salé, et rendu à Mekinés, lieu de résidence de la Cour, je descendis chez le Consul de France: je lui exposai ma demande.—Je vous plains, me répondit cet homme, dès qu'il m'eût entendu, et vous plains d'autant plus, que votre femme, fût-elle au sérail, il serait impossible, au roi de France même, de la découvrir; cependant, il n'est pas vraisemblable que ce malheur ait eu lieu: il est extrêmement rare que les corsaires de Maroc aillent aujourd'hui dans l'Adriatique; il y a peut-être plus de trente ans qu'ils n'y ont pris terre: les marchands qui fournissent le haram ne vont acheter des femmes qu'en Georgie; s'ils font quelques vols, c'est dans L'Archipel, parce que l'Empereur est très-porté pour les femmes grecques, et qu'il paie au poids de l'or tout ce qu'on lui amène au-dessous de 12 ans de ces contrées. Mais il fait très-peu de cas des autres Européennes, et je pourrais, continuait-il, vous assurer d'après cela presqu'aussi sûrement que si j'avais visité le sérail, que votre divinité n'y est point. Quoi qu'il en soit, allez vous vous reposer, je vous promets de faire des recherches; j'écrirai dans les ports de l'Empire, et peut-être au moins découvrirons-nous si elle a côtoyé ces parages.

Trouvant cet avis raisonnable, je m'y Conformai, et fus essayer de prendre un peu de repos, s'il était possible que je pusse le trouver au milieu des agitations de mon coeur.

Le Consul fut huit jours sans me rien apprendre; il vint enfin me trouver au commencement du neuvième: votre femme, me dit-il, n'est sûrement pas venue dans ce pays; j'ai le signalement de toutes celles qui y ont débarqué depuis l'époque que vous m'avez cité, rien dans tout ce que j'ai ne ressemble à ce qui vous intéresse. Mais le lendemain de votre arrivée, un petit bâtiment anglais, battu de la tempête, a relâché dix heures à Safie; il a mis ensuite à la voile pour le Cap; il avait dans son bâtiment une jeune Française de l'âge que vous m'avez dépeint, brune, de beaux cheveux, et de superbes yeux noirs; elle paraissait être extrêmement affligée: on n'a pu me dire, ni avec qui elle était, ni quel paraissait être l'objet de son voyage; ce peu de circonstances est tout ce que j'ai su, je me hâte de vous en faire part, ne doutant point que cette Française, si conforme au portrait que vous m'avez fait voir, ne soit celle que vous cherchez.—Ah! Monsieur, m'écriai-je, vous me donnez à-la-fois et la vie et la mort; je ne respirerai plus que je n'aie atteint ce maudit bâtiment; je n'aurai pas un moment de repos que je ne sois instruit des raisons qui lui font emporter celle que j'adore au fond de l'univers. Je priai en même-tems cet homme honnête de me fournir quelques lettres de crédit et de recommandation pour le Cap. Il le fit, m'indiqua les moyens de trouver un léger bâtiment à bon prix au port de Salé, et nous nous séparâmes.

Je retournai donc à ce port célèbre de l'Empire de Maroc[5], où je m'arrangeai assez promptement d'une barque hollandaise de 50 tonneaux: pour avoir l'air de faire quelque chose, j'achetai une petite cargaison d'huile, dont on m'a dit que j'aurais facilement le débit au Cap. J'avais avec moi vingt-cinq matelots, un assez bon pilote, et mon valet-de-chambre, tel était mon équipage.

Notre bâtiment n'étant pas, assez bon voilier pour garder la grande mer, nous courûmes les côtes sans nous en écarter de plus de quinze à vingt lieues, quelquefois même nous y abordions pour y faire de l'eau ou pour acheter des vivres aux Portugais de la Guinée. Tout alla le mieux du monde jusqu'au golfe, et nous avions fait près de la moitié du chemin, lorsqu'un terrible vent du Nord nous jeta tout-à-coup vers l'isle de Saint-Mathieu. Je n'avais encore jamais vu la mer dans un tel courroux: la brume était si épaisse, qu'il devenait impossible de nous distinguer de la proue à la poupe; tantôt enlevé jusqu'aux nues par la fureur des vagues, tantôt précipité dans l'abîme par leur chûte impétueuse, quelquefois entièrement inondés par les lames que nous embarquions malgré nous, effrayés du bouleversement intérieur et du mugissement épouvantable des eaux, du craquement des couples; fatigués du roulis violent qu'occasionnait souvent la violence des rafales, et l'agitation inexprimable des lots, nous voyions la mort nous assaillir de par-tout, nous l'attendions à tout instant.

C'est ici qu'un philosophe eût pu se plaire à étudier l'homme, à observer la rapidité avec laquelle les changemens de l'atmosphère le font passer d'une situation à l'autre. Une heure avant, nos matelots s'enivraient en jurant ... maintenant, les mains élevées vers le ciel, ils ne songeaient plus qu'à se recommander à lui. Il est donc vrai que la crainte est le premier ressort de toutes les religions, et qu'elle est, comme dit Lucrèce, la mère des cultes. L'homme doué d'une meilleure constitution, moins de désordres dans la nature, et l'on n'eût jamais parlé des Dieux sur la terre.

Cependant le danger pressait; nos matelots redoutaient d'autant plus les rochers à fleur d'eau, qui environnent l'île Saint-Mathieu, qu'ils étaient absolument hors d'état de les éviter. Ils y travaillaient néanmoins avec ardeur, lorsqu'un dernier coup de vent, rendant leurs soins infructueux, fait toucher la barque avec tant de rudesse sur un de ces rochers, qu'elle se fend, s'abîme, et s'écroule en débris dans les flots.

Dans ce désordre épouvantable; dans ce tumulte affreux des cris des ondes bouillonnantes, des sifflements de l'air, de l'éclat bruyant de toutes les différentes parties de ce malheureux navire, sous la faulx de la mort enfin, élevée pour frapper ma tête, je saisis une planche, et m'y cramponnant, m'y confiant au gré des flots, je suis assez heureux, pour y trouver un abri, contre les dangers qui m'environnent. Nul de mes gens n'ayant été si fortuné que moi, je les vis tous périr sous mes yeux. Hélas! dans ma cruelle situation, menacé comme je l'étais, de tous les fléaux qui peuvent assaillir l'homme, le ciel m'est témoin que je ne lui adressai pas un seul voeu pour moi. Est-ce courage, est-ce défaut de confiance; je ne sais, mais je ne m'occupai que des malheureux qui périssaient, pour me servir; je ne pensai qu'à eux, qu'à ma chère Léonore, qu'à l'état dans lequel elle devait être, privée de son époux et des secours qu'elle en devait attendre.

J'avais heureusement sauvé toute ma fortune; les précautions prises de l'échanger en papier du Cap à Maroc, m'avait facilité les moyens de la mettre à couvert. Mes billets fermés avec soin dans un portefeuille de cuir, toujours attaché à ma ceinture, se retrouvaient ainsi tous avec moi, et nous ne pouvions périr qu'ensemble; mais quelle faible consolation, dans l'état où j'étais.

Voguant seul sur ma planche, en bute à la fureur des élémens, je vis un nouveau danger prêt à m'assaillir, danger affreux, sans doute, et auquel je n'avais nullement songé; je ne m'étais muni d'aucuns vivres, dans cette circonstance, où le désir de se conserver, aveugle toujours sur les vrais moyens d'y parvenir; mais il est un dieu pour les amans; je l'avais dit à Léonore, et je m'en convainquis. Les Grecs ont eu raison d'y croire; et quoique dans ce moment terrible, je ne songeai guères plus à invoquer celui-là, qu'un autre; ce fut pourtant à lui que je dus ma conservation: je dois le croire au moins, puisqu'il m'a fait sortir vainqueur de tant de périls, pour me rendre enfin à celle que j'adore.

Insensiblement le temps se calma; un vent frais fit glisser ma planche sur une mer tranquille, avec tant d'aisance et de facilité, que je revis la côte d'Afrique, le soir même; mais je descendais considérablement, quand je pris terre; le second jour, je me trouvai entre Benguele, et le royaume des Jagas, sur les côtes de ce dernier empire, aux environs du Cap-nègre; et ma planche, tout-à-fait jetée sur le rivage, aborda sur les terres mêmes de ces peuples indomptés et cruels, dont j'ignorais entièrement les moeurs. Excédé de fatigue et de besoin, mon premier empressement, dès que je fus à terre, fut de cueillir quelques racines et quelques fruits sauvages, dont je fis un excellent repas; mon second soin fut de prendre quelques heures de sommeil.

Après avoir accordé à la nature, ce qu'elle exigeait si impérieusement, j'observai le cours du soleil; il me sembla, d'après cet examen, qu'en dirigeant mes pas, d'abord en avant de moi, puis au midi, je devais arriver par terre au Cap, en traversant la Cafrerie et le pays des Hottentots. Je ne me trompais pas; mais quel danger m'offrait ce parti? Il était clair que je me trouvais dans un pays peuplé d'anthropophages; plus j'examinais ma position, moins j'en pouvais douter. N'était-ce pas multiplier mes dangers, que de m'enfoncer encore plus dans les terres. Les possessions portugaises et hollandaises, qui devaient border la côte, jusqu'au Cap, se retraçaient bien à mon esprit; mais cette côte hérissée de rochers, ne m'offrait aucun sentier qui parût m'en frayer la route, au lieu qu'une belle et vaste plaine se présentait devant moi, et semblait m'inviter à la suivre. Je m'en tins donc au projet que je viens de vous dire, bien décidé, quoi qu'il pût arriver, de suivre l'intérieur des terres, deux ou trois jours à l'occident, puis de rabattre tout-à-coup au midi. Je le répète, mon calcul était juste; mais que de périls, pour le vérifier!

M'étant muni d'un fort gourdin, que je taillai en forme de massue, mes habits derrière mon dos, l'excessive chaleur m'empêchant de les porter sur moi; je me mis donc en marche. Il ne m'arriva rien cette première journée, quoique j'eusse fait près de dix lieues. Excédé de fatigue, anéanti de la chaleur, les pieds brûlés par les sables ardens, où j'enfonçais jusqu'au dessus de la cheville, et voyant le soleil prêt à quitter l'horizon, je résolus de passer la nuit sur un arbre, que j'aperçus près d'un ruisseau, dont les eaux salutaires venaient de me rafraîchir. Je grimpe sur ma forteresse, et y ayant trouvé une attitude assez commode, je m'y attachai, et je dormis plusieurs heures de suite. Les rayons brûlans qui me dardèrent le lendemain matin, malgré le feuillage qui m'environnait, m'avertirent enfin qu'il était temps de poursuivre, et je le fis, toujours avec le même projet de route. Mais la faim me pressait encore, et je ne trouvais plus rien, pour la satisfaire. O viles richesses, me dis-je alors m'apercevant que j'en étais couvert, sans pouvoir me procurer avec, le plus faible secours de la vie!... quelques légers légumes, dont je verrais cette plaine semée, ne seraient-ils pas préférables à vous? Il est donc faux que vous soyez réellement estimables, et celui qui, pour aller vous arracher du sein de la terre, abandonne le sol bien plus propice qui le nourrirait sans autant de peine, n'est qu'un extravagant bien digne de mépris. Ridicules conventions humaines, que de semblables erreurs vous admettez ainsi, sans en rougir, et sans oser les replonger dans le néant, dont jamais elles n'eussent dû sortir.

A peine eus-je fait cinq lieues, cette seconde journée, que je vis beaucoup de monde devant moi. Ayant un extrême besoin de secours, mon premier mouvement fut d'aborder ceux que je voyais; le second, ramenant à mon esprit l'affreuse idée que j'étais dans des terres peuplées de mangeurs d'hommes, me fit grimper promptement sur un arbre, et attendre là, ce qu'il plairait au sort de m'envoyer.

Grand dieu! comment vous peindre ce qui se passa!... Je puis dire avec raison, que je n'ai vu de ma vie, un spectacle plus effrayant.

Les Jagas que je venais d'apercevoir, revenaient triomphans d'un combat qui s'était passé entr'eux et les sauvages du royaume de Butua, avec lesquels ils confinent. Le détachement s'arrêta sous l'arbre même sur lequel je venais de choisir ma retraite; ils étaient environ deux cents, et avaient avec eux une vingtaine de prisonniers, qu'ils conduisaient enchaînés avec des liens d'écorce d'arbres.

Arrivé là, le chef examina ses malheureux captifs, il en fit avancer six, qu'il assomma lui-même de sa massue, se plaisant à les frapper chacun sur une partie différente, et à prouver son adresse, en les abattant d'un seul coup. Quatre de ses gens les dépecèrent, et on les distribua tous sanglans à la troupe; il n'y a point de boucherie où un boeuf soit partagé avec autant de vitesse, que ces malheureux le furent, à l'instant, par leurs vainqueurs. Ils déracinèrent un des arbres voisins de celui sur lequel j'étais, en coupèrent des branches, y mirent le feu, et firent rôtir à demi, sur des charbons ardens, les pièces de viande humaine qu'ils venaient de trancher. A peine eurent-elles vu la flamme, qu'ils les avalèrent avec une voracité qui me fit frémir. Ils entremêlèrent ce repas de plusieurs traits d'une boisson qui me parut enivrante, au moins, dois-je le croire à l'espèce de rage et de frénésie, dont ils furent agités, après ce cruel repas: ils redressèrent l'arbre qu'ils avaient arraché, le fixèrent dans le sable, y lièrent un de ces malheureux vaincus, qui leur restait, puis se mirent à danser autour, en observant à chaque mesure, d'enlever adroitement, d'un fer dont ils étaient armés, un morceau de chair du corps de ce misérable, qu'ils firent mourir, en le déchiquetant ainsi en détail.[6] Ce morceau de chair s'avalait crud, aussitôt qu'il était coupé; mais avant de le porter à la bouche, il fallait se barbouiller le visage avec le sang qui en découlait. C'était une preuve de triomphe. Je dois l'avouer, l'épouvante et l'horreur me saisirent tellement ici, que peu s'en fallut que mes forces ne m'abandonnassent; mais ma conservation dépendait de mon courage, je me fis violence, je surmontai cet instant de faiblesse, et me contins.

La journée toute entière se passa à ces exécrables cérémonies, et c'est sans doute une des plus cruelles que j'aie passée s de mes jours. Enfin nos gens partirent au coucher du soleil, et au bout d'un quart-d'heure, ne les apercevant plus, je descendis de mon arbre, pour prendre moi-même un peu de nourriture, que l'abattement dans lequel j'étais, me rendait presqu'indispensable.

Assurément, si j'avais eu le même goût que ce peuple féroce, j'aurais encore trouvé sur l'arène, de quoi faire un excellent repas; mais une telle idée, quelque fut ma disette, fit naître en moi tant d'horreur, que je ne voulus même pas cueillir les racines, dont je me nourrissais, dans les environs de cet horrible endroit; je m'éloignai, et après un triste et léger repas, je passai la seconde nuit dans la même position que la première.

Je commençais à me repentir vivement de la résolution que j'avais prise; il me semblait que j'aurais beaucoup mieux fait de suivre la côte, quelqu'impraticable que m'en eût paru la route, que de m'enfoncer ainsi dans les terres, où il paraissait certain que je devais être dévoré; mais j'étais déjà trop engagé; il devenait presqu'aussi dangereux pour moi, de retourner sur mes pas, que de poursuivre; j'avançai donc. Le lendemain, je traversai le champ du combat de la veille, et je crus voir qu'il y avait eu sur le lieu même, un repas semblable à celui dont j'avais été spectateur. Cette idée me fit frissonner de nouveau, et je hâtai mes pas.... O ciel! ce n'était que pour les voir arrêter bientôt.

Je devais être à environ vingt-cinq lieues de mon débarquement, lorsque trois sauvages tombèrent brusquement sur moi au débouché d'un taillis qui les avait dérobés à mes yeux; ils me parlèrent une langue que j'étais bien loin de savoir; mais leurs mouvemens et leurs actions se faisaient assez cruellement entendre, pour qu'il ne pût me rester aucun doute sur l'affreux destin qui m'était préparé. Me voyant prisonnier, ne connaissant que trop l'usage barbare qu'ils faisaient de leurs captifs, je vous laisse à penser ce que je devins.... O Léonore, m'écriai-je, tu ne reverras plus ton amant; il est à jamais perdu pour toi; il va devenir la pâture de ces monstres; nous ne nous aimerons plus, Léonore; nous ne nous reverrons jamais. Mais les expressions de la douleur étaient loin d'atteindre l'âme de ces barbares; ils ne les comprenaient seulement pas. Il m'avaient lié si étroitement, qu'à peine m'était-il possible de marcher. Un moment je me crus déshonoré de ces fers; la réflexion ranima mon courage: l'ignominie qui n'est pas méritée, me dis-je, flétrit bien plus celui qui la donne, que celui qui la reçoit; le tyran a le pouvoir d'enchaîner; l'homme sage et sensible a le droit bien plus précieux de mépriser celui qui le captive, et tel froissé qu'il sort de ces fers, souriant au despote qui l'accable, son front touche la voûte des cieux, pendant que la tête orgueilleuse de l'oppresseur s'abaisse et se couvre de fange.[7]

Je marchai près de six heures avec ces barbares, dans l'affreuse position que je viens de vous dire, au bout desquelles, j'aperçus une espèce de bourgade construite avec régularité, et dont la principale maison me parut vaste, et assez belle, quoique de branches d'arbres et de joncs, liés à des pieux. Cette maison était celle du prince, la ville était sa capitale, et j'étais en un mot, dans le royaume de Butua, habité par des peuples antropophages, dont les moeurs et les cruautés surpassent en dépravation tout ce qui a été écrit et dit, jusqu'à présent, sur le compte des peuples les plus féroces. Comme aucun Européen n'était parvenu dans cette partie, que les Portugais n'y avaient point encore pénétré pour lors, malgré le désir qu'ils avaient de s'en emparer, pour établir par là le fil de communication entre leur colonie de Benguele, et celle qu'ils ont à Zimbaoé, près du Zanguebar et du Monomotapa. Comme, dis-je, il n'existe aucune relation de ces contrées, j'imagine que vous ne serez pas fâché d'apprendre quelques détails sur la manière dont ces peuples se conduisent, j'affaiblirai sans doute ce que cette relation pourra présenter d'indécent; mais pour être vrai, je serai pourtant obligé quelquefois de révéler des horreurs qui vous révolteront. Comment pourrai-je autrement vous peindre le peuple le plus cruel et le plus dissolu de la terre?

Aline ici voulut se retirer, mon cher Valcour, et je me flatte que tu reconnais là cette fille sage, qu'alarme et fait rougir la plus légère offense à la pudeur. Mais madame de Blamont soupçonnant le chagrin qu'allait lui causer la perte du récit intéressant de Sainville, lui ordonna de rester, ajoutant qu'elle comptait assez sur l'honnêteté et la manière noble de s'exprimer, de son jeune hôte, pour croire qu'il mettrait dans sa narration, toute la pureté qu'il pourrait, et qu'il gazerait les choses trop fortes.... Pour de la pureté dans les expressions, tant qu'il vous plaira, interrompit le comte; mais pour des gazes, morbleu, mesdames, je m'y oppose; c'est avec toutes ces délicatesses de femmes, que nous ne savons rien, et si messieurs les marins eussent voulu parler plus clair, dans leurs dernières relations, nous connaîtrions aujourd'hui les moeurs des insulaires du Sud, dont nous n'avons que les plus imparfaits détails; ceci n'est pas une historiette indécente: monsieur ne va pas nous faire un roman; c'est une partie de l'histoire humaine, qu'il va peindre; ce sont des développemens de moeurs; si vous voulez profiter de ces récits, si vous désirez y apprendre quelque chose, il faut donc qu'ils soient exacts, et ce qui est gaze, ne l'est jamais. Ce sont les esprits impurs qui s'offensent de tout. Monsieur, poursuivit le comte, en s'adressant à Sainville, les dames qui nous entourent ont trop de vertu, pour que des relations historiques puissent échauffer leur imagination. Plus l'infamie du vice est découverte aux gens du monde, (a écrit quelque part un homme célèbre,) et plus est grande l'horreur qu'en conçoit une âme vertueuse. Y eut-il même quelques obscénités dans ce que vous allez nous dire, eh bien, de telles choses révoltent, dégoûtent, instruisent, mais n'échauffent jamais.... Madame, continua ce vieux et honnête militaire, en fixant madame de Blamont, souvenez-vous que l'impératrice Livie, à laquelle je vous ai toujours comparée, disait que des hommes nuds étaient des statues pour des femmes chastes. Parlez, monsieur, parlez, que vos mots soient décents; tout passe avec de bons termes; soyez honnête et vrai, et sur-tout ne nous cachez rien; ce qui vous est arrivé, ce que vous avez vu, nous paraît trop intéressant, pour que nous en voulions rien perdre.

Le palais du roi de Butua reprit Sainville, est gardé par des femmes noires, jaunes, mulâtres et blafardes[8], excepté les dernières, toujours petites et rabougries. Celles que je pus voir, me parurent grandes, fortes, et de l'âge de 20 à 30 ans. Elles étaient absolument nues, dénuées même du pague qui couvre les parties de la pudeur chez les autres peuples de l'Afrique, toutes étaient armées d'arcs et de flèches; dès qu'elles nous virent, elles se rangèrent en haye, et nous laissèrent passer au milieu d'elles. Quoique ce palais n'ait qu'un rez-de-chaussée, il est extrêmement vaste. Nous traversâmes plusieurs appartemens meublés de nattes, avant que d'arriver où était le roi. Des troupes de femmes se tenaient dans les différentes pièces où nous passions. Un dernier poste de six, infiniment mieux faites, et plus grandes, nous ouvrit enfin une porte de claye, qui nous introduisit où se tenait le monarque. On le voyait élevé au fond de cette pièce, dans un gradin, à-demi couché sur des coussins de feuilles, placées sur des nattes très-artistement travaillées; il était entouré d'une trentaine de filles, beaucoup plus jeunes que celles que j'avais vu remplir les fonctions militaires. Il y en avait encore dans l'enfance, et le plus grand nombre, de douze à seize ans. En face du trône, se voyait un autel élevé de trois pieds, sur lequel était une idole, représentant une figure horrible, moitié homme, moitié serpent, ayant les mamelles d'une femme, et les cornes d'un bouc; elle était teinte de sang. Tel était le Dieu du pays; sur les marches de l'autel ... le plus affreux spectacle s'offrit bientôt à mes regards. Le prince venait de faire un sacrifice humain; l'endroit où je le trouvais, était son temple, et les victimes récemment immolées, palpitaient encore aux pieds de l'idole.... Les macérations dont le corps de ces malheureuses hosties étaient encore couverts ... le sang qui ruisselait de tous cotes ... ces têtes séparées des troncs,... achevèrent de glacer mes sens.... Je tressaillis d'horreur.

Le prince demanda qui j'étais, et quand on l'en eut instruit, il me montra du doigt un grand homme blanc, sec et basané, d'environ 65 ans, qui, sur l'ordre du monarque, s'approcha de moi, et me parla sur-le-champ une langue européenne; je dis en italien à cet interprète, que je n'entendais point la langue dont il se servait; il me répondit aussitôt en bon toscan, et nous nous liâmes. Cet homme était portugais; il se nommait Sarmiento, pris, comme je venais de l'être, il y avait environ vingt ans. Il s'était attaché à cette cour, depuis cet intervalle, et n'avait plus pensé à l'Europe. J'appris par son moyen, mon histoire à Ben Mâacoro; (c'était le nom du prince.) Il avait paru en désirer toutes les circonstances; je ne lui en déguisai aucunes. Il rit à gorge déployée, quand on lui dit que j'affrontais tant de périls pour une femme. En voilà deux mille dans ce palais, dit-il, qui ne me feraient seulement pas bouger de ma place. Vous êtes fous, continua-t-il, vous autres Européens, d'idolâtrer ce sexe; une femme est faite pour qu'on en jouisse, et non pour qu'on l'adore; c'est offenser les Dieux de son pays, que de rendre à de simples créatures, le culte qui n'est dû qu'à eux. Il est absurde d'accorder de l'autorité aux femmes, très-dangereux de s'asservir à elles; c'est avilir son sexe, c'est dégrader la nature, c'est devenir esclaves des êtres au-dessus desquels elle nous a placés. Sans m'amuser à réfuter ce raisonnement, je demandai au Portugais où le prince avait acquis ces connaissances sur nos nations. Il en juge sur ce que je lui ai dit, me répondit Sarmiento; il n'a jamais vu d'Européen, que vous et moi. Je sollicitai ma liberté; le prince me fit approcher de lui; j'étais nud: il examina mon corps; il le toucha par-tout, à-peu-près de la même façon qu'un boucher examine un boeuf, et il dit à Sarmiento, qu'il me trouvait trop maigre, pour être mangé, et trop âgé pour ses plaisirs.... Pour ses plaisirs, m'écriai-je.... Eh quoi! ne voilà-t-il pas assez de femmes?... C'est précisément parce qu'il en a de trop, qu'il en est rassasié, me répondit l'interprète.... O Français! ne connais-tu donc pas les effets de la satiété; elle déprave, elle corrompt les goûts, et les rapproche de la nature, en paraissant les en écarter.... Lorsque le grain germe dans la terre, lorsqu'il se fertilise et se reproduit, est-ce autrement que par corruption, et la corruption n'est-elle pas la première des loix génératrices? Quand tu seras resté quelque temps ici, quand tu auras connu les moeurs de cette nation, tu deviendras peut-être plus philosophe.—Ami, dis-je au Portugais, tout ce que je vois, et tout ce que tu m'apprends, ne me donne pas une fort grande envie d'habiter chez elle; j'aime mieux retourner en Europe, où l'on ne mange pas d'hommes, où l'on ne sacrifie pas de filles, et où on ne se sert pas de garçons.—Je vais le demander pour toi, me répondit le Portugais, mais je doute fort que tu l'obtiennes. Il parla en effet au roi, et la réponse fut négative. Cependant on ôta mes liens, et le monarque me dit que celui qui m'expliquait ses pensées, vieillissant, il me destinait à le remplacer; que j'apprendrais facilement, par son moyen, la langue de Butua; que le Portugais me mettrait au fait de mes fonctions à la cour, et qu'on ne me laissait la vie, qu'aux conditions que je les remplirais. Je m'inclinai, et nous nous retirâmes.

Sarmiento m'apprit de quelles espèces étaient ces fonctions; mais préalablement il m'expliqua différentes choses nécessaires à me donner une idée du pays où j'étais. Il me dit que le royaume de Butua était beaucoup plus grand qu'il ne paraissait; qu'il s'étendait d'une part, au midi, jusqu'à la frontière des Hottentots, voisinage qui me séduisit, par l'espérance que je conçus, de regagner un jour par-là, les possessions hollandaises, que j'avais tant d'envie d'atteindre.

Au nord, poursuivit Sarmiento, cet état-ci s'étend jusqu'au royaume de Monoe-mugi; il touche les monts Lutapa, vers l'orient, et confine à l'occident, aux Jagas; tout cela, dans une étendue aussi considérable que le Portugal. De toutes les parties de ce royaume, continua mon instituteur, il arrive chaque mois des tributs de femmes au monarque; tu seras l'inspecteur de cette espèce d'impôt; tu les examineras, mais simplement leur corps; on ne te les montrera jamais que voilées; tu recevras les mieux faites, tu réformeras les autres. Le tribut monte ordinairement à cinq mille; tu en maintiendras toujours sur ce nombre, un complet de deux mille: voilà tes fonctions. Si tu aimes les femmes, tu souffriras sans-doute, et de ne les pas voir, et d'être obligé de les céder, sans en jouir. Au reste, réfléchis à ta réponse; tu sais ce que t'a dit l'empereur: ou cela, ou la mort; il ne ferait peut-être pas la même grâce à d'autres. Mais, d'où vient, demandai-je au Portugais, choisit-il un Européen, pour la partie que tu viens de m'expliquer; un homme de sa nation s'entendrait moins mal, ce me semble, au genre de beauté qui lui convient? Point du tout; il prétend que nous nous y connaissons mieux que ses sujets; quelques réflexions que je lui communiquai sur cela, quand j'arrivai ici, le convainquirent de la délicatesse de mon goût, et de la justesse de mes idées; il imagina de me donner l'emploi dont je viens de te parler. Je m'en suis assez bien acquitté; je vieillis, il veut me remplacer; un Européen se présente à lui, il lui suppose les mêmes lumières, il le choisît, rien de plus simple.

Ma réponse se dictait d'elle-même; pour réussir à l'évasion que je méditais, je devais d'abord mériter de la confiance; on m'offrait les moyens de la gagner; devais-je balancer? Je supposais d'ailleurs Léonore sur les mers d'Afrique; j'étais parti de Maroc. Dans cette opinion; le hasard ne pouvait-il pas l'amener dans cet empire? Voilée ou non, ne la reconnaîtrai-je pas; l'amour égare-t-il; se trompe-t-il à de certains examens?... Mais au moins, dis-je au Portugais, je me flatte que ces morceaux friands, dont il me paraît que le roi se régale, ne seront pas soumis à mon inspection: je quitte l'emploi, s'il faut se mêler des garçons. Ne crains rien, me dit Sarmiento, il ne s'en rapporte qu'à ses yeux, pour le choix de ce gibier; les tributs moins nombreux, n'arrivent que dans son palais, et les choix ne sont jamais faits que par lui. Tout en causant, Sarmiento me promenait de chambre en chambre, et je vis ainsi la totalité du palais, excepté les harems secrets, composés de ce qu'il y avait de plus beau dans l'un et l'autre sexe, mais où nul mortel n'était introduit.

Toutes les femmes du Prince, continua Sarmiento, au nombre de douze mille, se divisent en quatre classes; il forme lui-même ces classes à mesure qu'il reçoit les femmes des mains de celui qui les lui choisit: les plus grandes, les plus fortes, les mieux constituées se placent dans le détachement qui garde son palais; ce qu'on appelle les cinq cens esclaves est formé de l'espèce inférieure à celle dont je viens de parler: ces femmes sont ordinairement de vingt à trente ans; a elles appartient le service intérieur du palais, les travaux des jardins, et généralement toutes les corvées. Il forme la troisième classe depuis seize ans, jusqu'à vingt ans; celles-là servent aux sacrifices; c'est parmi elles que se prennent les victimes immolées à son Dieu. La quatrième classe enfin renferme tout ce qu'il y a de plus délicat et de plus joli depuis l'enfance jusqu'à seize ans. C'est là ce qui sert plus particulièrement à ses plaisirs; ce serait là où se placeraient les blanches, s'il en avait....—En a-t-il eu, interrompis-je avec empressement?—Pas encore, répondit le Portugais; mais il en désire avec ardeur, et ne néglige rien de tout ce qui peut lui en procurer ... et l'espérance, à ces paroles, sembla renaître dans mon coeur.

Malgré ces divisions, reprit le Portugais, toutes ces femmes, de quelque classe qu'elles soient, n'en satisfont pas moins la brutalité de ce despote: quand il a envie de l'une d'entr'elles, il envoie un de ses officiers donner cent coups d'étrivières à la femme désirée; cette faveur répond au mouchoir du Sultan de Bisance, elle instruit la favorite de l'honneur qui lui est réservé: dès-lors elle se rend où le Prince l'attend, et comme il en emploie souvent un grand nombre dans le même jour, un grand nombre reçoit chaque matin l'avertissement que je viens de dire ... Ici je frémis: ô Léonore! me dis-je, si tu tombais dans les mains de ce monstre, si je ne pouvais t'en garantir, serait-il possible que ces attraits que j'idolâtre fussent aussi indignement flétris.... Grand Dieu, prive-moi plutôt de la vie que d'exposer Léonore à un tel malheur; que je rentre plutôt mille fois dans le sein de la nature avant que de voir tout ce que j'aime aussi cruellement outragé! Ami repris-je aussi-tôt, tout rempli de l'affreuse idée que le Portugais venait de jeter dans mon esprit, l'exécution de ce raffinement d'horreur dont vous venez de me parler, ne me regardera pas, j'espère....—Non, non, dit Sarmiento, en éclatant de rire, non, tout cela concerne le chef du sérail, tes fonctions n'ont rien de commun avec les siennes: tu lui composes par ton choix dans les cinq mille femmes qui arrivent chaque année, les deux mille sur lesquelles il commande; cela fait, vous n'avez plus rien à démêler ensemble. Bon, répondis-je; car, s'il fallait faire répandre une seule larme à quelques unes de ces infortunées ... je t'en préviens ... je déserterais le même jour. Je ferai mon devoir avec exactitude, poursuivis-je; mais uniquement occupé de celle que j'idolâtre, ces créatures-ci n'auront assurément de moi ni châtiment, ni faveurs; ainsi, les privations que sa jalousie m'impose, me touche fort peu, comme tu vois.—Ami, me répondit le Portugais, vous me paraissez un galant homme, vous aimez encore comme on faisait au dixième siècle: je crois voir en vous l'un des preux de l'antiquité chevaleresque, et cette vertu me charme, quoique je sois très-loin de l'adopter.... Nous ne verrons plus Sa Majesté du jour: il est tard; vous devez avoir faim, venez vous rafraîchir chez moi, j'achèverai demain de vous instruire.

Je suivis mon guide: il me fit entrer dans une chaumière construite à-peu-près dans le goût de celle du Prince, mais infiniment moins spacieuse. Deux jeunes nègres servirent le souper sur des nattes de jonc, et nous nous plaçâmes à la manière africaine; car notre Portugais, totalement dénaturalisé, avait adopté et les moeurs et toutes les coutumes de la nation chez laquelle il était. On apporta un morceau de viande rôti, et mon saint homme ayant dît son Benedicite, (car la superstition n'abandonne jamais un Portugais) il m'offrit un filet de la chair qu'on venait de placer sur la table.—Un mouvement involontaire me saisit ici malgré moi.—Frère, dis-je avec un trouble qu'il ne m'était pas possible de déguiser, foi d'Européen, je mets que tu me sers là, ne serait-il point par hasard une portion de hanche ou de fesse d'une de ces demoiselles dont le sang inondait tantôt les autels du Dieu de ton maître?... Eh quoi! me répondit flegmatiquement le Portugais, de telles minuties t'arrêteraient-elles? T'imagines-tu vivre ici sans te soumettre à ce régime?—Malheureux! M'écriai-je, en me levant de table, le coeur sur les lèvres, ton régal me fait frémir ... j'expirerais plutôt que d'y toucher.... C'est donc sur ce plat effroyable que tu osais demander la bénédiction du Ciel?... Terrible homme! à ce mélange de superstition et de crime, tu n'as même pas voulu déguiser ta Nation.... Va, je t'aurais reconnu sans que tu te nommasses.—Et j'allais sortir tout effrayé de sa maison.... Mais Sarmiento me retenant.—Arrête, me dit-il, je pardonne ce dégoût à tes habitudes, à tes préjugés nationaux; mais c'est trop s'y livrer: cesse de faire ici le difficile, et saches te plier aux situations; les répugnances ne sont que des faiblesses, mon ami, ce sont de petites maladies ce l'organisation, à la cure desquelles on n'a pas travaillé jeune, et qui nous maîtrisent quand nous leur avons cédé. Il en est absolument de ceci comme de beaucoup d'autres choses: l'imagination séduite par des préjugés nous suggère d'abord des refus ... on essaie ... on s'en trouve bien, et le goût se décide quelquefois avec d'autant plus de violence, que l'éloignement avait plus de force en nous. Je suis arrivé ici comme toi, entêté de sottes idées nationales; je blâmais tout ... je trouvais tout absurde: les usages de ces peuples m'effrayaient autant que leurs moeurs, et maintenant je fais tout comme eux. Nous appartenons encore plus à l'habitude qu'à la nature, mon ami; celle-ci n'a fait que nous créer, l'autre nous forme; c'est une folie que de croire qu'il existe une bonté morale: toute manière de se conduire, absolument indifférente en elle-même, devient bonne ou mauvaise en raison du pays qui la juge; mais l'homme sage doit adopter, s'il veut vivre heureux, celle du climat où le sort le jette.... J'eus peut-être fait comme toi à Lisbonne.... A Butua je fais comme les nègres.... Eh que diable veux-tu que je te donne à souper, dès que tu ne veux pas te nourrir de ce dont tout le monde mange?... J'ai bien là un vieux singe, mais il sera dur; je vais ordonner qu'on te le fasse griller.—Soit, je mangerai sûrement avec moins de dégoût la culotte on le râble de ton singe, que les carnosités des sultanes de ton roi.—Ce n'en est pas, morbleu, nous ne mangeons pas la chair des femmes; elle est filandreuse et fade, et tu n'en verras jamais servir nulle part[9]. Ce mets succulent que tu dédaignes, est la cuisse d'un Jagas tué au combat d'hier, jeune, frais, et dont le suc doit être délicieux; je l'ai fait cuire au four, il est dans son jus ... regarde.... Mais qu'à cela ne tienne, trouve bon seulement pendant que tu mangeras mon singe, que je puisse avaler quelques morceaux de ceci.—Laisse-là ton singe, dis-je à mon hôte en apercevant un plat de gâteaux et de fruits qu'on nous préparait sans doute pour le dessert. Fais ton abominable souper tout seul, et dans un coin opposé le plus loin que je pourrai de toi; laisse-moi m'alimenter de ceci, j'en aurai beaucoup plus qu'il ne faut.

Mon cher compatriote, me dit l'Européen cannibalisé, tout en dévorant son Jagas, tu reviendras de ces chimères: je t'ai déjà vu blâmer beaucoup de choses ici, dont tu finiras par faire tes délices; il n'y a rien où l'habitude ne nous ploie; il n'y a pas d'espèce de goût qui ne puisse nous venir par l'habitude.—A en juger par tes propos, frère, les plaisirs dépravés de ton maître sont donc déjà devenus les tiens?—Dans beaucoup de choses, mon ami, jette les yeux sur ces jeunes nègres, voilà ceux qui, comme chez lui, m'apprennent à me passer de femmes, et je te réponds qu'avec eux je ne me doute pas des privations.... Si tu n'étais pas si scrupuleux, je t'en offrirais.... Comme de ceci, dit-il en montrant la dégoûtante chair dont il se repaissait.... Mais tu refus rais tout de même.—Cesse d'en douter, vieux pécheur, et convaincs-toi bien que j'aimerais mieux déserter ton infâme pays, au risque d'être mangé par ceux qui l'habitent, que d'y rester une minute aux dépens de la corruption de mes moeurs.—Ne comprends pas dans la corruption morale l'usage de manger de la chair humaine. Il est aussi simple de se nourrir d'un homme que d'un boeuf[10]. Dio oi tu veux que la guerre, cause de la destruction de l'espèce, est un fléau; mais cette destruction faite, il est absolument égal que ce soient les entrailles de la terre ou celles de l'homme qui servent de sépulcre à des élémens désorganisés.—Soit; mais s'il est vrai que cette viande excite la gourmandise, comme le prétendent et toi, et ceux qui en mangent, le besoin de détruire peut s'ensuivre de la satisfaction de cette sensualité, et voilà dès l'instant des crimes combinés, et bientôt après des crimes commis. Les Voyageurs nous apprennent que les sauvages mangent leurs ennemis, et ils les excusent, en affirmant qu'ils ne mangent jamais que ceux-là; et qui assurera que les sauvages, qui, à la vérité ne dévorent aujourd'hui que ceux qu'ils ont pris à la guerre, n'ont pas commencé par faire la guerre pour avoir le plaisir de manger des hommes? Or, dans, ce cas, y aurait-il un goût plus condamnable et plus dangereux, puisqu'il serait devenu la première cause qui eût armé l'homme contre son semblable, et qui l'eût contraint à s'entre-détruire?—N'en crois rien, mon ami, c'est l'ambition, c'est la vengeance, la cupidité, la tyrannie; ce sont toutes ces passions qui mirent les armes à la main de l'homme, qui l'obligèrent à se détruire; reste à savoir maintenant si cette destruction est un aussi grand mal que l'on se l'imagine, et si, ressemblant aux fléaux que la nature envoie dans les mêmes principes, elle ne la sert pas tout comme eux. Mais ceci nous entraînerait bien loin: il faudrait analyser d'abord, comment toi, faible et vile créature, qui n'as la force de rien créer, peux t'imaginer de pouvoir détruire; comment, selon toi, la mort pourrait être une destruction, puisque la nature n'en admet aucune dans ses loix, et que ses actes ne sont que des métempsycoses et des reproductions perpétuelles; il faudrait en venir ensuite à démontrer comment des changemens de formes, qui ne servent qu'à faciliter ses créations, peuvent devenir des crimes contre ses loix, et comment la manière de les aider ou de les servir, peut en même-tems les outrager. Or, tu vois que de pareilles discussions prendraient trop sur le tems de ton sommeil, va te coucher, mon ami, prends un de mes nègres, si cela te convient, ou quelques femmes, si elles te plaisent mieux.—Rien ne me plaît, qu'un coin pour reposer, dis-je à mon respectable prédécesseur.—Adieu, je vais dormir en détestant tes opinions, en abhorrant tes moeurs, et rendant grâce pourtant au ciel du bonheur que j'ai eu de te rencontrer ici.

Il faut que j'achève de te mettre au fait de ce qui regarde le maître que tu vas servir, me dit Sarmiento en venant m'éveiller le lendemain; suis-moi, nous jaserons tout en parcourant la campagne.

«Il est impossible de te peindre, mon ami, reprit le Portugais, en quel avilissement sont les femmes dans ce pays-ci: il est de luxe d'en avoir beaucoup ... d'usage de s'en servir fort peu. Le pauvre et l'opulent, tout pense ici de même sur cette matière; aussi, ce sexe remplit-il dans cette contrée les mêmes soins que nos bêtes de somme en Europe: ce sont les femmes qui ensemencent, qui labourent, qui moissonnent; arrivées à la maison, ce sont elles qui préparent à manger, qui approprient, qui servent, et pour comble de maux, toujours elles qu'on immole aux Dieux. Perpétuellement en butte à la férocité de ce peuple barbare, elles sont tour-à-tour victimes de sa mauvaise humeur; de son intempérance et de sa tyrannie; jette les yeux sur ce champ de maïs, vois ces malheureuses nues courbées dans le sillon, qu'elles entr'ouvrent, et frémissantes sous le fouet de l'époux qui les y conduit; de retour chez cet époux cruel, elles lui prépareront son dîner; le lui serviront, et recevront impitoyablement cent coups de gaules pour la plus légère négligence.»—La population doit cruellement souffrir de ces odieuses coutumes?—«Aussi est-elle presqu'anéantie; deux usages singuliers y contribuent plus que tout encore: le premier est l'opinion où est ce peuple qu'une femme est impure huit jours avant et huit jours après l'époque du mois où la nature la purge; ce qui n'en laisse pas huit dans le mois où il la croie digne de lui servir. Le second usage, également destructeur de la population, est l'abstinence rigoureuse à laquelle est condamnée une femme après couches: son mari ne la voit plus de trois ans. On peut joindre à ces motifs de dépopulation l'ignominie que jette ce peuple sur cette même femme dès qu'elle est enceinte: de ce moment elle n'ose plus paraître, on se moque d'elle, on la montre au doigt, les temples mêmes lui sont fermés[11]. Une population autrefois trop forte dût autoriser ces anciens usages: un peuple trop nombreux, borné de manière à ne pouvoir s'étendre ou former des colonies, doit nécessairement se détruire lui-même, mais ces pratiques meurtrières deviennent absurdes aujourd'hui dans un royaume qui s'enrichirait du surplus de ses sujets, s'il voulait communiquer avec nous. Je leur ai fait cette observation, ils ne la goûtent point; je leur ai dit que leur nation périrait avant un siècle, ils s'en moquent. Mais cette horreur pour la propagation de son espèce est empreinte dans l'âme des sujets de cet empire; elle est bien autrement gravée dans l'âme du monarque qui le régit: non-seulement ses goûts contrarient les voeux de la nature; mais, s'il lui arrive même de s'oublier avec une femme, et qu'il soit parvenu à la rendre sensible, la peine de mort devient la punition de trop d'ardeur de cette infortunée; elle ne double son exis en ce que pour perdre aussi-tôt la sienne: aussi, n'y a-t-il sortes de précautions que ne prennent ces femmes pour empêcher la propagation, ou pour la détruire. Tu t'étonnais hier de leur quantité, et néanmoins sur ce nombre immense à peine y en a-t-il quatre cent en état de servir chaque jour. Enfermées avec exactitude dans une maison particulière tout le tems de leurs infirmités, reléguées, punies, condamnées à mort pour la moindre chose,... immolées aux Dieux, leur nombre diminue à chaque moment; est-ce trop de ce qui reste pour le service des jardins, du palais, et des plaisirs du souverain?»—Eh quoi! dis-je, parce qu'une femme accomplit la loi de la nature, elle deviendra de cet instant impropre au service des jardins de son maître? Il est déjà, ce me semble assez cruel de l'y faire travailler, sans la juger indigne de ce fatiguant emploi, parce qu'elle subit le sort qu'attache le ciel à son humanité.—«Cela est pourtant: l'Empereur ne voudrait pas qu'en cet état les mains mêmes d'une femme touchassent une feuille de ses arbres.»—Malheur à une nation assez esclave de ses préjugés pour penser ainsi; elle doit être fort près de sa ruine.—« Aussi y touche-t-elle, et tel étendu que soit le royaume, il ne contient pas aujourd'hui trente mille âmes. Miné de par-tout par le vice et la corruption, il va s'écrouler de lui-même, et les Jagas en seront bientôt maîtres; Tributaires aujourd'hui, demain ils seront vainqueurs; il ne leur manque qu'un chef pour opérer cette révolution.»—Voilà donc le vice dangereux, et la corruption des moeurs pernicieuse?—Non pas généralement, je ne l'accorde que relativement à l'individu ou à la nation, je le nie dans le plan général. Ces inconvéniens sont nuls dans les grands desseins de la nature; et qu'importe à ses loix qu'un empire soit plus ou moins puissant, qu'il s'agrandisse par ses vertus, ou se détruise par sa corruption; cette vicissitude est une des premières loix de cette main qui nous gouverne; les vices qui l'occasionnent sont donc nécessaires. La nature ne crée que pour corrompre: or, si elle ne se corrompt que par des vices, voilà le vice une de ses loix. Les crimes des tyrans de Rome, si funestes aux particuliers, n'étaient que les moyens dont se servait la nature pour opérer la chute de l'empire; voilà donc les conventions sociales opposées à celles de la nature; voilà donc ce que l'homme punit, utile aux loix du grand tout; voilà donc ce qui détruit l'homme, essentiel au plan général. Vois en grand, mon ami, ne rapetisse jamais tes idées; souviens-toi que tout sert à la nature, et qu'il n'y a pas sur la terre une seule modification dont elle ne retire un profit réel.—Eh quoi! la plus mauvaise de toutes les actions la servirait donc autant que la meilleure?—Assurément: l'homme vraiment sage doit voir du même oeil; il doit être convaincu de l'indifférence de l'un ou l'autre de ces modes, et n'adopter que celui des deux qui convient le mieux à sa conservation ou à ses intérêts; et telle est la différence essentielle qui se trouve entre les vues de la nature et celles du particulier, que la première gagne presque toujours à ce qui nuit à l'autre; que le vice devient utile à l'une, pendant que l'autre y trouve souvent sa ruine; l'homme fait donc mal, si tu veux, en se livrant à la dépravation de ses moeurs ou a la perversité de ses inclinations; mais le mal qu'il fait n'est que relatif au climat sous lequel il vit: juges-le d'après l'ordre général, il n'a fait qu'en accomplir les loix; juges-le d'après lui-même, tu verras qu'il s'est délecté.—Ce système anéantit toutes les vertus.— Mais la vertu n'est que relative, encore une fois, c'est une vérité dont il faut se convaincre avant de faire un pas sous les portiques du lycée: voilà pourquoi je te disais hier, que je ne serais pas à Lisbonne ce que je ferais ici; il est faux qu'il y ait d'autres vertus que celles de convention, toutes sont locales, et la seule qui soit respectable, la seule qui puisse rendre l'homme content, est celle du pays où il est; crois-tu que l'habitant de Pékin puisse être heureux dans son pays d'une vertu française, et réversiblement le vice chinois donnera-t-il des remords à un Allemand?—C'est une vertu bien chancelante, que celle dont l'existence n'est point universelle.—Et que t'importe sa solidité, qu'as-tu besoin d'une vertu universelle, dès que la nationale suffit à ton bonheur?—Et le Ciel? tu l'invoquais hier.—Ami, ne confonds pas des pratiques habituelles avec les principes de l'esprit: j'ai pu me livrer hier à un usage de mon pays, sans croire qu'il y ait une sorte de vertu qui plaise plus à l'Éternel qu'une autre.... Mais revenons: nous étions sortis pour politiquer, et tu m'ériges en moraliste, quand je ne dois être qu'instituteur.

Il y a long-tems, reprit Sarmiento, que les Portugais désirent d'être maîtres de ce royaume, afin que leurs colonies puissent se donner la main d'une cote à l'autre, et que rien, du Mosa Imbique à Binguelle, ne puisse arrêter leur commerce. Mais ces peuples-ci n'ont jamais voulu s'y prêter.—Pourquoi ne t'a-t-on pas chargé de la négociation, dis-je au Portugais.—Moi? Apprends à me connaître; ne devines-tu pas à mes principes, que je n'ai jamais travaillé que pour moi: lorsque j'ai été conduit comme toi dans cet empire, j'étais exilé sur les côtes d'Afrique pour des malversations dans les mines de diamans de Rio-Janeïro, dont j'étais intendant; j'avais, comme cela se pratique en Europe, préféré ma fortune à celle du Roi; j'étais devenu riche de plusieurs millions, je les dépensais dans le luxe et dans l'abondance: on m'a découvert; je ne volais pas assez, un peu plus de hardiesse, tout fût resté dans le silence; il n'y a jamais que les malfaiteurs en sous-ordre qui se cassent le cou, il est rare que les autres ne réussissent pas; je devais d'ailleurs user de politique, je devais feindre la réforme, au lieu d'éblouir par mon faste; je devais comme font quelque fois vos ministres en France, vendre mes meubles et me dire ruiné[12], je ne l'ai pas fait, je me suis perdu. Depuis que j'étudie les hommes, je vois qu'avec leurs sages loix et leurs superbes maximes, ils n'ont réussi qu'à nous faire voir que le plus coupable était toujours le plus heureux; il n'y a d'infortuné que celui qui s'imagine faussement devoir compenser par un peu de bien le mal où son étoile l'entraîne. Quoi qu'il en soit, si j'étais resté dans mon exil, j'aurais été plus malheureux, ici du moins, j'ai encore quelqu'autorité: j'y joue un espèce de rôle; j'ai pris la parti d'être intrigant bas et flatteur, c'est celui de tous les coquins ruinés; il m'a réussi: j'ai promptement appris la langue de ces peuples, et quelques affreuses que soient leurs moeurs, je m'y suis conformé; je te l'ai déjà dit, mon cher, la véritable sagesse de l'homme est d'adopter la coutume du pays où il vit. Destiné à me remplacer, puisse-tu penser de même, c'est le voeu le plus sincère que je puisse faire pour ton repos.—Crois-tu donc que j'aie le dessein de passer comme toi mes jours ici?—N'en dis mot, si ce n'est pas ton projet; ils ne souffriraient pas que tu les quittasses après les avoir connus, ils craindraient que tu n'instruisisse les Portugais de leur faiblesse; ils te mangeraient plutôt que de te laisser partir.—Achève de m'instruire, ami, quel besoin tes compatriotes ont-ils de s'emparer de ces malheureuses contrées?—Ignores-tu donc que nous sommes les courtiers de l'Europe, que c'est nous qui fournissons de nègres tous les peuples commerçans de la terre.—Exécrable métier, sans doute, puisqu'il ne place votre richesse et votre félicité que dans le désespoir et l'asservissement de vos frères.—O Sainville! je ne te verrai donc jamais philosophe; où prends-tu que les hommes soient égaux? La différence de la force et de la faiblesse établie par la nature, prouve évidemment qu'elle a soumis une espèce d'homme à l'autre, aussi essentiellement qu'elle a soumis les animaux à tous. Il n'est aucune nation qui n'ait des castes méprisées: les nègres sont à l'Europe ce qu'étaient les Ilotes aux Lacédémoniens, ce que sont les Parias aux peuples du Gange. La chaîne des devoirs universels est une chimère, mon ami, elle peut s'étendre d'égal à égal, jamais du supérieur à l'inférieur; la diversité d'intérêt détruit nécessairement la ressemblance des rapports. Que veux-tu qu'il y ait de commun entre celui qui peut tout, et celui qui n'ose rien? Il ne s'agit pas de savoir lequel des deux a raison; il n'est question que d'être persuadé que le plus faible a toujours tort: tant que l'or, en un mot, sera regardé comme la richesse d'un État, et que la nature l'enfouira dans les entrailles de la terre, il faudra des bras pour l'en tirer; ceci posé, voilà la nécessité de l'esclavage établie; il n'y en avait pas, sans doute, à ce que les blancs subjuguassent les noirs, ceux-ci pouvaient également asservir les autres; mais il était indispensable qu'une des deux nations fût sous le joug, il était dans la nature que ce fût le plus faible, et les noirs devenaient tels, et par leurs moeurs, et par leur climat. Quelque objection que tu puisses faire, enfin, il n'est pas plus étonnant de voir l'Europe enchaîner l'Afrique, qu'il ne l'est de voir un bouclier assommer le boeuf qui sert à te nourrir; c'est par-tout la raison du plus fort; en connais-tu de plus éloquente?—Il en est sans doute de plus sages: formés par la même main, tous les hommes sont frères, tous se doivent à ce titre des secours mutuels, et si la nature en a créé de plus faibles, c'est pour préparer aux autres le charme délicieux de la bienfaisance et de l'humanité.... Mais revenons au fond de la question, tu rends un continent malheureux pour fournir de l'or aux trois autres; est-il bien vrai que cet or soit la vraie richesse d'un État? Ne jetons les yeux que sur ta Patrie: dis-moi Sarmiento, crois-tu le Portugal, plus florissant depuis qu'il exploite des mines? Partons d'un point: en 1754, il avait été apporté dans ton Royaume plus de deux milliards des mines du Brésil depuis leur ouverture, et cependant à cette époque ta Nation ne possédait pas cinq millions d'écus: vous deviez aux Anglais cinquante millions, et par conséquent rien qu'à un seul de vos créanciers trente-cinq fois plus que vous ne possédiez; si votre or vous appauvrit à ce point, pourquoi sacrifiez-vous tant au désir de l'arracher du sein de la terre? Mais si je me trompe, s'il vous enrichit, pourquoi dans ce cas l'Angleterre vous tient-elle sous sa dépendance?—C'est l'agrandissement de votre monarchie qui nous a précépité dans les bras de l'Angleterre, d'autres causes nous y retiennent peut-être; mais voilà la seule qui nous y a placé. La maison de Bourbon ne fut pas plutôt sur le trône d'Espagne, qu'au lieu de voir dans vous un appui comme autrefois, nous y redoutâmes un ennemi puissant; nous crûmes trouver dans les Anglais ce que les Espagnols avaient en vous, et nous ne rencontrâmes en eux que des tuteurs despotes, qui abusèrent bientôt de notre faiblesse; nous nous forgeâmes des fers sans nous en douter. Nous permîmes l'entrée des draps d'Angleterre sans réfléchir au tort que nous faisions à nos manufactures par cette tolérance, sans voir que les Anglais ne nous accordaient en retour d'un tel gain pour eux, et d'une si grande perte pour nous, que ce qu'avait déjà établi leur intérêt particulier, telle fut l'époque de notre ruine, non-seulement nos manufactures tombèrent, non-seulement celles des Anglais anéantirent les nôtres, mais les comestibles que nous leur fournissions n'équivalant pas à beaucoup près les draps que nous recevions d'eux, il fallut enfin les payer de l'or que nous arrachions du Brésil; il fallut que les galions passassent dans leurs ports sans presque mouiller dans les nôtres.—Et voilà comme l'Angleterre s'empara de votre commerce, vous trouvâtes plus doux d'être menés, que de conduire; elle s'éleva sur vos raines, et le ressort de votre ancienne industrie entièrement rouillé dans vos mains, ne fut plus manié que par elle. Cependant le luxe continuait de vous miner: vous aviez de l'or, mais vous le vouliez manufacturé; vous l'envoyiez à Londres pour le travailler, il vous en coûtait le double, puisque vous ôtiez d'une part dans la masse de l'or monnoyé celui que vous faisiez façonner pour votre luxe, et celui dont vous étiez encore obligé de payer la main-d'oeuvre. Il n'y avait pas jusqu'à vos crucifix, vos reliquaires, vos chapelets, vos ciboires, tous ces instrumens idolâtres dont la superstition dégrade le culte pur de l'Éternel, que vous ne fissiez faire aux Anglais; ils surent enfin vous subjuguer au point de se charger de votre navigation de l'ancien monde, de vous vendre des vaisseaux et des munitions pour vos établissemens du nouveau; vous enchaînant toujours de plus en plus, ils vous ravirent jusqu'à votre propre commerce intérieur: on ne voyait plus que des magasins anglais à Lisbonne, et cela sans que vous y fissiez le plus léger profit; il allait tout à leurs commettans; vous n'aviez dans tout cela que le vain honneur de prêter vos noms; ils furent plus loin: non-seulement ils ruinèrent votre commerce, mais ils vous firent perdre votre crédit, en vous contraignant à n'en avoir plus d'autre que le leur, et ils vous rendirent par ce honteux asservissement les jouets de toute l'Europe. Une nation tellement avilie doit bientôt s'anéantir: vous l'avez vu, les arts, la littérature, les sciences se sont ensevelis sous les ruines de votre commerce, tout s'altère dans un État quand le commerce languit; il est à la Nation ce qu'est le suc nourricier aux différentes parties du corps, il ne se dissout pas que l'entière organisation ne s'en ressente. Vous tirer de cet engourdissement serait l'ouvrage d'un siècle, dont rien n'annonce l'aurore; vous auriez besoin d'un Czar Pierre, et ces génies-là ne naissent pas chez le peuple que dégrade la superstition: Il faudrait commencer par secouer le joug de cette tyrannie religieuse, qui vous affaiblit et vous déshonore; peu-à-peu l'activité renaîtrait, les marchands étrangers reparaîtraient dans vos ports, vous leur vendriez les productions de vos colonies, dont les Anglais n'enlèvent que l'or; par ce moyen, vous ne vous apercevriez pas de ce qu'ils vous ôtent, il vous en resterait autant qu'ils vous en prennent, votre crédit se rétablirait, et vous vous affranchiriez du joug en dépit d'eux.—

C'est pour arriver là que nous ranimons nos manufactures.—Il faudrait avant cultiver vos terres, vos manufactures ne seront pour vous des sources de richesses réelles, que quand vous aurez dans votre propre sol la première matière qui s'y emploie; quel profit ferez-vous sur vos draps; si vous êtes obligés d'acheter vos laines? Quel gain retirerez-vous de vos soies, quand vous ne saurez conduire ni vos mûriers, ni vos cocons? Que vous rapporteront vos huiles, quand vous ne soignerez pas vos oliviers? A qui débiterez-vous vos vins, quand d'imbéciles réglemens vous feront arracher vos seps, sous prétexte de semer du bled à leur place, et que vous pousserez l'imbécillité au point de ne pas savoir que le bled ne vient jamais bien dans le terrain propre à la vigne.—L'inquisition nous enlève les bras auxquels nous avons confié la plus grande partie de ces détails; ces braves agriculteurs qu'elle condamne et qu'elle exile, nous avaient appris en cultivant le sol des terres dont nous nous contentions de fouiller les entrailles, ou pouvait rendre une colonie plus utile à sa métropole, que par tout l'or que cette colonie pouvait offrir; la rigueur de ce tribunal de sang est une des premières causes de notre décadence.—Qui vous empêche de l'anéantir? Pourquoi n'osez vous envers lui ce que vous avez osé envers les Jésuites, qui ne vous avaient jamais fait autant de mal? Détruisez, anéantissez sans pitié ce ver rongeur qui vous mine insensiblement; enchaînez de leurs propres fers ces dangereux ennemis de la liberté et du commerce; qu'on ne voie plus qu'un auto-da-fè à Lisbonne, et que les victimes consumées soient les corps de ces scélérats; mais si vous aviez jamais ce courage, il arriverait alors quelque chose de fort plaisant, c'est que les Anglais, ennemis avec raison de ce tribunal affreux, en deviendraient pourtant les défenseurs; ils le protégeraient, parce qu'il sert leurs vues; ils le soutiendraient, parce qu'ils vous tient dans l'asservissement où ils vous veulent: ce serait l'histoire des Turcs protégeant autrefois le Pape contre les Vénitiens, tant il est vrai que la superstition est d'un secours puissant dans les mains du despotisme, et que notre propre intérêt nous engage souvent à faire respecter aux autres ce que nous méprisons nous-mêmes. Croyez-moi; qu'aucune considération secondaire, qu'aucun respect puéril ne vous fasse négliger votre agriculture; une nation n'est vraiment riche que du superflu de son entretien, et vous n'avez pas même le nécessaire; ne vous rejetez pas sur la faiblesse de votre population, elle est assez nombreuse pour donner à votre sol toute la vigueur dont il est susceptible; ce ne sont point vos bras qui sont faibles, c'est le génie de votre administration; sortez de cette inertie qui vous dessèche. Appauvri, végétant sur votre monceau d'or, vous me donnez l'idée de ces plantes qui ne s'élèvent un instant au-dessus du sol que pour retomber l'instant d'après faute de substance; rétablissez sur-tout cette marine, dont vous tiriez tant de lustre autrefois; rappelez ces tems glorieux où le pavillon portugais s'ouvrait les portes dorées de l'Orient; où, doublant le premier avec courage, (le Cap inconnu de l'Afrique) il enseignait aux Nations de la terre la route de ces Indes précieuses, dont elles ont tiré tant de richesses.... Aviez-vous besoin des Anglais alors?... Servaient-ils de pilotes à vos navires? Sont-ce leurs armes qui chassèrent les Maures du Portugal? Sont-ce eux qui vous aidèrent jadis dans vos démêlés particuliers? Vous ont-ils établis en Afrique? En un mot, jusqu'à l'époque de votre faiblesse, sont-ce eux qui vous ont fait vivre, et n'êtes-vous pas le même peuple? Ayez des alliés enfin; mais n'ayez jamais de protecteurs.—Pour en venir à ce point, ce n'est pas seulement à l'inquisition qu'il faudrait s'en prendre, ce devrait être à la masse entière du clergé: il faudrait retrancher ses membres des conseils et des délibérations; uniquement occupé de faire des bigots de nous, il nous empêchera toujours d'être négocians, guerriers ou cultivateurs, et comment anéantir cette puissance dont notre faiblesse a nourri l'empire?—Par les moyens qu'Henri VIII prit en Angleterre: il rejeta le frein qui gênait son peuple; faites de même. Cette inquisition qui vous fait aujourd'hui frémir, la redoutiez-vous autant lorsque vous condamnâtes à mort le grand inquisiteur de Lisbonne, pour avoir trempé dans la conjuration qui se forma contre la maison de Bragance? Ce que vous avez pu dans un tems, pourquoi ne l'osez-vous pas dans un autre? Ceux qui conspirent contre l'État ne méritent-ils pas un sort plus affreux que ceux qui cabalent contre des rois?—N'espérez point un pareil changement, ce serait risquer de soulever la Nation, que de lui enlever les hochets religieux dont elle s'amuse depuis tant de siècles. Elle aime trop les fers dont on l'accable, pour les lui voir briser jamais; disons mieux, la puissance des Anglais a trop d'activité, sur nous, pour que rien de tout, cela nous devienne possible. Notre premier tort est d'avoir plié sous le joug.... Nous n'en sortirons jamais. Nous sommes comme ces enfans trop accoutumés aux lisières, ils tombent dès qu'on les leur ôte; peut-être vaut-il mieux pour nous que nous restions comme nous sommes: toute variation est nuisible dans l'épuisement.

Nous en étions là de notre conversation, quand nous vîmes arriver à nous dix ou douze sauvages, conduisant une vingtaine de femmes noires, et s'avançant vers le palais du Prince.—Ah! dit Sarmiento, voilà le tribut d'une des provinces, retournons promptement, le Roi voudra sans doute te faire commencer tout de suite les fonctions de ta charge.—Mais instruis-moi du moins; comment puis-je deviner le genre de beauté qu'il désire trouver dans ses femmes, et ne le sachant pas, comment réussirai-je dans le choix dont il me charge?—D'abord, tu ne les verras jamais au visage, cette partie sera toujours cachée; je te l'ai dit, deux nègres, la massue haute, seront près de toi pendant ton examen, et pour t'ôter l'envie de les voir, et pour prévenir les tentatives. Cependant, tu reverras après sans difficultés une partie de ces femmes; une fois reçues, il ne soustrait à nos yeux que celles dont il est le plus jaloux, mais comme il ignore quand elles arrivent, s'il n'y en a pas dans le nombre qu'il aura le désir de soustraire, on les voile toutes. A l'égard de leurs corps, tes yeux n'étant point faits aux appas de ces négresses, je conçois ta peine à discerner dans elles ceux qui peuvent les rendre dignes de plaire; mais la couleur ne fait pourtant rien à la beauté des formes ... que ces formes soient bien régulières, belles et bien prises; rejette absolument tout défaut qui pourrait atténuer leur délicatesse ... que les chairs soient fermes et fraîches; réalise la virginité, c'est un des points les plus essentiels ... de la sublimité, sur-tout, dans ces masses voluptueuses, qui rendirent la Venus de Grèce un chef-d'oeuvre, et qui lui valurent un temple chez le peuple le plus sensible et le plus éclairé de la terre.... D'ailleurs, je serai là, je guiderai tes premières opérations ... tu chercheras mes yeux; ton choix y sera toujours peint.

Nous rentrâmes: le monarque s'était déjà informé de nous: on lui annonça le détachement qui paraissait; il ordonna, comme l'avait prévu Sarmiento, que je fusses mis sur-le-champ en possession de mon emploi. Les femmes arrivèrent, et après quelques heures de repos et de rafraîchissement, entre deux nègres, la massue élevée sur ma tête et Sarmiento près de moi, dans un appartement reculé du palais, je commençai mes respectables fonctions. Les plus jeunes m'embarrassèrent. Il y en avait la moitié sur le total, qui n'avait pas douze ans; comment trouver le beau dans des formes qui ne sont encore qu'indiquées. Mais sur un signe de Sarmiento, j'admis sans difficultés ces enfans, dès que je ne leur trouvai pas de défauts essentiels. L'autre moitié m'offrit des attraits mieux développés; j'eus moins de peine à fixer mon choix: j'en réformai, dont la taille et les proportions étaient si grossières, que je m'étonnai qu'on osât les présenter au monarque. Sarmiento lui conduisit le résultat de mon première opérations; Il l'attendait avec impatience. Il fit aussitôt passer ces femmes dans ses appartemens secrets, et les émissaires furent congédiés avec celles dont je n'avais pas voulu.

L'ordre venait d'être donné, de me mettre en possession d'un logis voisin de celui du Portugais.—Allons-y, me dit mon prédécesseur; le monarque absorbé dans l'examen de ces nouvelles possessions, ne sera plus visible du jour.

Mais conçois tu, dis-je, en marchant, à Sarmiento; conçois-tu qu'il y ait des êtres à qui la débauche rende sept ou huit cents femmes nécessaires?—Il n'y a rien dans ces choses-là, que je ne trouve simple, me répondit Sarmiento.—Homme dissolu!—Tu m'invectives à tort; n'est-il pas naturel de chercher à multiplier ses jouissances? Quelque belle que soit une femme, quelque passionné que l'on en soit, il est impossible de ne pas être fait, au bout de quinze jours, à la monotonie de ses traits, et comment ce qu'on sait par coeur, peut-il enflammer les désirs?... Leur irritation n'est-elle pas bien plus sûre, quand les objets qui les excitent, varient sans-cesse autour de vous? Où vous n'avez qu'une sensation, l'homme qui change ou qui multiplie, en éprouve mille. Dès que le désir n'est que l'effet de l'irritation causée par le choc des atomes de la beauté, sur les esprits animaux[13], que la vibration de ceux-ci ne peut naître que de la force ou de la multitude de ces chocs. N'est-il pas clair que plus vous multiplierez la cause de ces chocs, et plus l'irritation sera violente. Or, qui doute que dix femmes à la fois sous nos yeux, ne produisent, par l'émanation de la multitude, des chocs de leurs atomes, sur les esprits animaux, une inflammation plus violente, que ne pourrait faire une seule? Il n'y a ni principe, ni délicatesse dans cette débauche; elle n'offre à mes yeux qu'un abrutissement qui révolte.—Mais faut-il chercher des principes dans un genre de plaisir qui n'est sûr qu'autant qu'on brise des freins, à l'égard de la délicatesse, défais-toi de l'idée où tu es, qu'elle ajoute aux plaisirs des sens. Elle peut être bonne à l'amour, utile à tout ce qui tient à son métaphysique; mais elle n'apporte rien au reste. Crois-tu que les Turcs, et en général, tous les Asiatiques, qui jouissent communément seuls, ne se rendent pas aussi heureux que toi, et leur vois-tu de la délicatesse? Un sultan commande ses plaisirs, sans se soucier qu'on les partage[14]. Qui sait même si de certains individus capricieusement organisés, ne verraient pas cette délicatesse si vantée, comme nuisible aux plaisirs qu'ils attendent. Toutes ces maximes qui te paraissent erronées, peuvent être fondées en raison; demande à Ben Mâacoro, pourquoi il punit si sévèrement les femmes qui s'avisent de partager sa jouissance; il te répondra avec les habitans mal organisés (selon toi), avec les habitans, dis-je, de trois parties de la terre, que la femme qui jouit autant que l'homme, s'occupe d'autre chose que des plaisirs de cet homme, et que cette distraction qui la force de s'occuper d'elle, nuit au devoir où elle est, de ne songer qu'à l'homme; que celui qui veut jouir complètement, doit tout attirer à lui; que ce que la femme distrait de la somme des voluptés, est toujours aux dépens de celle de l'homme; que l'objet, dans ces momens-là, n'est pas de donner, mais de recevoir; que le sentiment qu'on tire du bienfait accordé, n'est que moral, et ne peut dès-lors convenir qu'à une certaine sorte de gens, au lieu que la sensation ressentie du bienfait reçu, est physique et convient nécessairement à tous les individus, qualité qui la rend préférable à ce qui ne peut être aperçu que de quelques-uns; qu'en un mot, le plaisir goûté avec l'être inerte ne peut point ne pas être entier, puisqu'il n'y a que l'agent qui l'éprouve, et de ce moment, il est donc bien plus vif.—En ce cas, il faut établir que la jouissance d'une statue sera plus douce que celle d'une femme?—Tu ne m'entends point; la volupté imaginée par ces gens-là, consiste en ce que le succube puisse et ne fasse pas, en ce que les facultés qu'il a et qu'il est nécessaire qu'il ait, ne s'employent qu'à doubler la sensation de l'incube, sans songer à la ressentir.—Ma foi, mon ami, je ne vois là que de la tyrannie et des sophismes.—Point de sophismes; de la tyrannie, soit; mais qui te dit qu'elle n'ajoute pas à la volupté? Toutes les sensations se prêtent mutuellement des forces: l'orgueil, qui est celle de l'esprit, ajoute à celle des sens; or, le despotisme, fils de l'orgueil, peut donc, comme lui, rendre une jouissance plus vive. Jette les yeux sur les animaux; regarde s'ils ne conservent pas cette supériorité si flatteuse, ce despotisme si sensuel, que tu cèdes imbécilement. Vois la manière impérieuse dont ils jouissent de leurs femelles. Le peu de désir qu'ils ont de faire partager ce qu'ils sentent, l'indifférence qu'ils éprouvent, quand le besoin n'existe plus, et n'est-ce pas toujours chez eux, que la nature nous donne des leçons? Mais réglons nos idées sur ses opérations: si elle eût voulu de l'égalité dans le sentiment de ces plaisirs-là, elle en eût mis dans la construction des créatures qui doivent le ressentir; nous voyons pourtant le contraire. Or, s'il y a une supériorité établie, décidée de l'un des deux sexes, sur l'autre, comment ne pas se convaincre qu'elle est une preuve de l'intention qu'a la nature, que cette force, que cette autorité, toujours manifestée par celui qui la possède, le soit également dans l'acte du plaisir, comme dans tous les autres?—Je vois cela bien différemment, et ces voluptés doivent être bien tristes, toutes les fois qu'elles ne sont point partagées; l'isolisme m'effraye; je le regarde comme un fléau; je le vois, comme la punition de l'être cruel ou méchant, abandonné de toute la terre; il doit l'être de sa compagne, il n'a pas su répandre le bonheur; il n'est plus fait pour le sentir.—C'est avec cette pusillanimité de principes, que l'on reste toujours dans l'enfance, et qu'on ne s'élève jamais à rien; voilà comme on vit et meurt dans le nuage de ses préjugés, faute de force et d'énergie, pour en dissiper l'épaisseur.—Qu'a de nécessaire cette opération, dès qu'elle outrage la vertu?— Mais la vertu, toujours plus utile aux autres qu'à nous, n'est pas la chose essentielle; c'est la vérité seule qui nous sert; et s'il est malheureusement vrai qu'on ne la trouve qu'en s'écartant de la vertu, ne vaut-il pas mieux s'en détourner un peu, pour arriver à la lumière, que d'être toujours dupe et bon dans les ténèbres?—J'aime mieux être faible et vertueux, que téméraire et corrompu. Ton âme s'est dégradée à la dangereuse école du monstre affreux dont tu habites la cour.—Non, c'est la faute de la Nature; elle m'a donné une sorte d'organisation vigoureuse, qui semble s'accroître avec l'âge, et qui ne saurait s'arranger aux préjugés vulgaires; ce que tu nommais en moi dépravation, n'est qu'une suite de mon existence; j'ai trouvé le bonheur dans mes systèmes, et n'y ai jamais connu le remord. C'est de cette tranquillité, dans la route du mal, que je me suis convaincu de l'indifférence des actions de l'homme. Allumant le flambeau de la philosophie à l'ardent foyer des passions, j'ai distingué à sa lueur, qu'une des premières loix de la nature, était de varier toutes ses oeuvres, et que dans leur seule opposition, se trouvait l'équilibre qui maintenait l'ordre général; quelle nécessité d'être vertueux, me suis-je dit, dès que le mal sert autant que le bien? Tout ce que crée la nature, n'est pas utile, en ne considérant que nous; cependant tout est nécessaire; il est donc tout simple que je sois méchant, relativement à mes semblables, sans cesser d'être bon à ses yeux: pourquoi m'inquiéterai-je alors?—Eh! n'as-tu pas toujours les hommes, qui te puniront de les outrager.—Qui les craint, ne jouit pas.—Qui les brave, est sur de les irriter, et comme l'intérêt général combat toujours l'intérêt particulier, celui qui sacrifie tout à soi, celui qui manque à ce qu'il doit aux autres, pour n'écouter que ce qui le flatte, doit nécessairement succomber, il ne doit trouver que des écueils.—Le politique les évite, le sage apprend à ne les pas craindre. Mets la main sur ce coeur, mon ami; il y a cinquante ans que le vice y règne, et vois pourtant comme il est calme.—Ce calme pervers est le fruit de l'habitude de tes faux principes, ne le mets pas sur le compte de la nature; elle te punira tôt ou tard de l'outrager.—Soit, ma tête n'est élevée vers le ciel que pour attendre la foudre; je ne tiens point le bras qui la lance; mais j'ai la gloire de le braver.—Et nous entrâmes dans le logis, qui m'était destiné.

C'était une cabane très-simple, partagée par des clayes, en trois ou quatre pièces, où je trouvai quelques nègres, que le roi me donnait, pour me servir. Ils avaient ordre de me demander si je voulais des femmes, je répondis que non, et les congédiai, ainsi que le Portugais, en les assurant que je n'avais besoin que d'un peu de repos.

A peine fus-je seul, que je fis de sérieuses réflexions sur le malheureux sort dans lequel je me trouvais. La scélératesse de l'âme du seul Européen, dont j'eus la société, me paraissait aussi dangereuse que la dent meurtrière des cannibales, dont je dépendais. Et ce rôle affreux,... ce métier infâme, qu'il me fallait faire, ou mourir, non qu'il portât la moindre atteinte à mes sentimens pour Léonore,... je le faisais avec tant de dégoût ... je ressentais une telle horreur, qu'assurément ce que je devais à cette charmante fille, ne pouvait s'y trouver compromis. Mais n'importe, je l'exerçais, et ce funeste devoir versait une telle amertume sur ma situation, que je serais parti, dès l'instant, si, comme je vous l'ai dit, l'espoir que Léonore tomberait peut-être sur cette côte, où je pouvais la supposer, et qu'alors elle n'arriverait qu'à moi, si, dis-je, cet espoir n'avait adouci mes malheurs. Je n'avais point perdu son portrait; les précautions que j'avais prises de le placer dans mon porte-feuille, avec mes lettres de change, l'avait entièrement garanti. On n'imagine pas ce qu'est un portrait, pour une âme sensible; il faut aimer, pour comprendre ce qu'il adoucit, ce qu'il fait naître. Le charme de contempler à son aise, les traits divins qui nous enchantent, de fixer ces yeux, qui nous suivent, d'adresser à cette image adorée, les mêmes mots que si nous serrions dans nos bras l'objet touchant qu'elle nous peint; de la mouiller quelquefois de nos larmes, de l'échauffer de nos soupirs, de l'animer sous nos baisers.... Art sublime et délicieux, c'est l'amour seul qui te fit naître; le premier pinceau ne fut conduit que par ta main. Je pris donc ce gage intéressant de l'amour de ma Léonore, et l'invoquant à genoux: «ô toi que j'idolâtre! m'écriai-je, reçois le serment sincère, qu'au milieu des horreurs où je me trouve, mon coeur restera toujours pur; ne crains pas que le temple où tu règnes, soit jamais souillé par des crimes. Femme adorée, console-moi dans mes tourmens; fortifie-moi dans mes revers; ah! si jamais l'erreur approchait de mon âme, un seul des baisers que je cueilles sur tes lèvres de roses, saurait bientôt l'en éloigner».

Il était tard, je m'endormis, et je ne me réveillai le lendemain, qu'aux invitations de Sarmiento, de venir faire avec lui une seconde promenade vers une partie que je n'avais pas encore vue.—Sais-tu, lui dis-je, si le roi a été content de mes opérations?—Oui; il m'a chargé de te l'apprendre, me dit le Portugais en nous mettant en marche; te voilà maintenant aussi savant que moi; tu n'auras plus besoin de mes leçons. Il a passé, m'a-t-on dit, toute la nuit en débauche, il va s'en purifier ce matin, par un sacrifice, où s'immoleront six victimes.... Veux-tu en être témoin?—Oh! juste ciel, répondis-je alarmé, garantis-moi tant que tu pourras, de cet effrayant spectacle.—J'ai bien compris que cela te déplairait, d'autant plus que tu verrais souvent, sous le glaive, les objets même de ton choix.—Et voilà mon malheur: j'y ai pensé toute la nuit.... voilà ce qui va me rendre insupportable le métier que l'on me condamne à faire; quand la victime sera de mon choix, je mourrai du remord cruel que fera naître en mon esprit, l'affreuse idée de l'avoir pu sauver, en lui trouvant quelques défauts, et de ne l'avoir pas fait.—Voilà encore une chimère infantine dont il faudrait te détacher; si le sort ne fut pas tombé sur celle-là, il serait tombé sur une autre; il est nécessaire à la tranquillité de se consoler de tous ces petits malheurs; le général d'armée qui foudroye l'aile gauche de l'ennemi, a-t-il des remords de ce qu'en écrasant la droite, il eût pu sauver la première? Dès qu'il faut que le fruit tombe, qu'importe de secouer l'arbre.—Cesse tes cruelles consolations et reprends les détails qui doivent achever de m'instruire de tout ce qui concerne l'infâme pays dans lequel j'ai le malheur d'être obligé de vivre.

Il faut être né comme moi, dans un climat chaud, reprit le Portugais, pour s'accoutumer aux brûlantes ardeurs de ce ciel-ci; l'air n'y est supportable que d'Avril en Septembre; le reste de l'année est d'une si cruelle ardeur, qu'il n'est pas rare de trouver des animaux dans la campagne expirer sous les rayons qui les brûlent; c'est à l'extrême chaleur de ce climat qu'il faut attribuer, sans doute, la corruption morale de ces peuples; on ne se doute pas du point auquel les influences de l'air agissent sur le physique de l'homme, combien il peut être honnête ou vicieux, en raison du plus ou moins d'air qui pèse sur ses poumons[15], et de la qualité plus ou moins saine, plus ou moins brûlante de cet air. O vous qui croyez devoir assujettir tous les hommes aux mêmes loix, quelques soient les variations de l'atmosphère, osez-le donc après la vérité de ces principes.... Mais ici il faut avouer que cette corruption est extrême; elle ne aaurait être portée plus loin. Tous les désordres y sont communs, et tous y sont impunis; un père ne met aucune espèce de différence entre ses filles, ses garçons, ses esclaves, ou ses femmes; tous servent indistinctement ses débauches lascives. Le despotisme dont il jouit dans sa maison; le droit absolu de mort, dont il est revêtu, rendrait fort dure la condition de ceux dont il éprouverait des refus. Quelque besoin pourtant, que le peuple ait de femmes, il ne traite pas mieux celles qu'il possède; je t'ai déjà peint une partie de leur sort; il n'est pas plus doux dans l'intérieur. Jamais l'épouse ne parle à son mari, qu'à genoux; jamais elle n'est admise à sa table; elle ne reçoit pour nourriture, que quelques restes qu'il veut bien lui jeter dans un coin de la maison, comme nous faisons aux animaux, dans les nôtres. Parvient-elle à lui donner un héritier; arrive-t-elle à ce point de gloire, qui les rend si intéressantes dans nos climats, je te l'ai dit, le mépris le plus outré, l'abandon, le dégoût deviennent ici les récompenses qu'elle reçoit de son cruel mari. Souvent bien plus féroce encore, il ne la laisse pas venir au terme, sans détruire son ouvrage, dans le sein même de sa compagne; malgré tant d'opposition, ce malheureux fruit vient-il à voir le jour, s'il déplaît au père, il le fait périr à l'instant; mais la mère n'a nul droit sur lui: elle n'en acquiert pas davantage, quand il atteint l'âge raisonnable; il arrive souvent alors qu'il se joint à son père, pour maltraiter celle dont il a reçu la vie[16]. Les femmes du peuple ne sont pas les seules qui soient ainsi traitées; celles des grands partagent cette ignominie. On a peine à croire à quel degré d'abaissement et d'humiliation ceux-ci réduisent leurs épouses, toujours tremblantes, toujours prêtes à perdre la vie, au plus léger caprice de ces tyrans; le sort des bêtes féroces est sans doute préférable au leur.

L'ancien gouvernement féodal de Pologne peut seul donner l'idée de celui-ci; le royaume est divisé en dix-huit petites provinces, représentant nos grandes terres seigneuriales, en Europe; chaque gouvernement a un chef qui habite le district, et qui y jouit à-peu-près de là même autorité que le roi. Ses sujets lui sont immédiatement soumis; il peut en disposer à son gré. Ce n'est pas qu'il n'y ait des loix dans ce royaume: peut-être même y sont-elles trop abondantes; mais elles ne tendent, toutes, qu'à soumettre le faible au fort, et qu'à maintenir le despotisme, ce qui rend le peuple d'autant plus malheureux, que, quoiqu'il puisse réversiblement exercer le même despotisme dans sa maison, il n'est pourtant dans le fait, absolument le maître de rien. Il n'a que sa nourriture et celle de sa famille, sur la terre qu'il herse à la sueur de son corps. Tout le reste appartient à son chef, qui le possède, en sure et pleine jouissance, aux seules conditions d'une redevance annuelle en filles, garçons, et comestibles, exactement payée quatre fois l'an au roi. Mais ces vassaux fournissent ce tribut au chef; il n'a que la peine de le présenter, et comme il est imposé à proportion de ce qu'il peut payer, il n'en est jamais surchargé.

Les crimes du vol et du meurtre, absolument nuls parmi les grands, sont punis avec la plus extrême rigueur, chez l'homme du peuple, s'il a commis ces crimes, hors de l'intérieur de sa maison; car s'il est le chef de sa famille, et que le délit n'ait porté que sur les membres de cette famille, qui lui sont subordonnés, il est dans le cas de la plus entière impunité; hors cette circonstance, il est puni de mort. Le coupable arrêté, est à l'instant conduit chez son chef, qui l'exécute de sa propre main; ce sont pour ces chefs, des parties de plaisir, semblables à nos chasses d'Europe; ils gardent communément leurs criminels jusqu'à ce qu'ils en ayent un certain nombre; ils se réunissent alors sept ou huit ensemble, et passent plusieurs jours à maltraiter ces individus, jusqu'à ce qu'enfin ils les achèvent. Leur chasse alors sert au festin, et la débauche se termine avec leurs femmes, qu'ils ont de même réunies, et dont ils jouissent en commun. Le roi agit également dans son apanage, et comme son district est plus étendu, il a plus d'occasions de multiplier ces horreurs.

Tous les chefs, malgré leur autorité, relèvent immédiatement de la couronne; le monarque peut les condamner à mort, et les faire exécuter sur-le-champ, sans aucune instruction de procès, pour les crimes de rébellion ou de lèse-majesté; mais il faut que le délit soit authentique, sans quoi, tous se révolteraient, tous prendraient le parti de celui qu'on aurait condamné, et travailleraient, de concert, à détrôner un roi mal affermi par ce despotisme.

Ce qui rend au monarque de Butua sa postérité indifférente, c'est qu'elle ne règne point après lui. Il n'en est pas de même de ses dix-huit grands vassaux; les enfans succèdent au père dans leurs fiefs. Dès que le chef est mort, le fils aîné s'empare du gouvernement, du logis, et réduit sa mère et ses soeurs dans la dernière servitude; elles n'ont plus rang, dans sa maison, qu'après les esclaves de sa femme, à moins qu'il ne veuille épouser une d'elles; dans ce cas, elle est hors de cette abjection; mais celle où l'usage la fait retomber, comme épouse, n'est-elle pas aussi dure? Si la mère est grosse, quand le père meurt, il faut qu'elle fasse périr son fruit, autrement l'héritier la tuerait elle-même.

A l'égard du roi, dès qu'il meurt, les chefs s'assemblent, et les barbares confondant, à l'exemple des Jagas, leurs voisins, la cruauté avec la bravoure[17], n'élisent pour leur chef, que le plus féroce d'entre eux. Pendant neuf jours entiers, ils font des exploits dans ce genre, soit sur des prisonniers de guerre, soit sur des criminels, soit sur eux-mêmes, en se battant corps-à-corps, à outrance, et celui qui a fait paraître le plus de valeur ou d'atrocité, regardé dès-lors comme le plus grand de la nation, est choisi pour la commander; on le porte en triomphe dans son palais, où de nouveaux excès succèdent à l'élection, pendant neuf autres jours. Là, l'intempérance et la débauche se poussent quelquefois si loin, que le nouveau roi lui-même y succombe, et la cérémonie recommence. Rarement ces fêtes ne se célèbrent, sans qu'il n'en coûte la vie à beaucoup de monde.

Lorsque cette nation est en guerre avec ses voisins, les chefs fournissent au roi un contingent d'hommes armés de flèches et de piques, et ce nombre est proportionné aux besoins de l'état. Si les ennemis sont puissans, les secours envoyés sont considérables; ils le sont moins, quand il s'agit de légères discussions. La cause de ces discussions est toujours, ou quelques ravages dans les terres, ou quelques enlevemens de femmes ou d'esclaves; quelques jours d'hostilités préliminaires et un combat terminent tout; puis chacun retourne chez soi.

Malgré le peu de morale de ces peuples; malgré les crimes multipliés où ils se livrent, il est dévot, crédule, et superstitieux; l'empire de la religion, sur son esprit, est presqu'aussi violent qu'en Espagne et en Portugal. Le gouvernement théocratique suit le plan du gouvernement féodal. Il y a un chef de religion dans chaque province, subordonné au chef principal, habitant la même ville que le roi. Ce chef, dans chaque district, est à la tête d'un collège de prêtres secondaires, et habite avec eux un vaste bâtiment contigu au temple; l'idole est par-tout la même que celle du palais du roi, qui, seul, a le privilège d'avoir, indépendamment du temple de sa capitale, une chapelle particulière où il sacrifie. Le serpent qu'on révère ici, est le reptile le plus anciennement adoré; il eut des temples en Egypte, en Phénicie, en Grèce , et son culte passa de-là en Asie et en Afrique, où il fut presque général[18]. Quant à ces peuples, ils disent que cette idole est l'image de celui qui a créé le monde; et pour justifier l'usage où ils sont de la représenter, moitié figure humaine, et moitié figure d'animal, ils disent que c'est pour montrer qu'il a créé également les hommes et les animaux.

Chaque gouverneur de province est obligé d'envoyer seize victimes par an, de l'un et de l'autre sexe, au chef de la religion qui les immole avec ses prêtres, à de certains jours prescrits par leur rituel. Cette idée, que l'immolation de l'homme était le sacrifice le plus pur qu'on put offrir à la divinité, était le fruit de l'orgueil; l'homme se croyant l'être le plus parfait qu'il y eût au monde, imagina que rien ne pouvait mieux apaiser les dieux, que le sacrifice de son semblable; voilà ce qui multiplia tellement cette coutume, qu'il n'est aucun peuple de la terre, qui ne l'ait adoptée; les Celtes et les Germains immolaient des vieillards et des prisonniers de guerre; les Phéniciens, les Cartaginois, les Perses et les Illiriens, sacrifiaient leurs propres enfans; les Thraces et les Egyptiens, des vierges, etc.

Les prêtres, à Butua, sont, chargés de l'éducation entière de la jeunesse; ils élèvent, à-la-fois, les deux sexes, dans des écoles séparées, mais toujours dirigées par eux seuls. La vertu principale, et presque l'unique, qu'ils inspirent aux femmes, est la plus entière résignation, la soumission la plus profonde aux volontés des hommes; ils leur persuadent qu'elles sont uniquement créées pour en dépendre, et, à l'exemple de Mahomet, les damnent impitoyablement à leur mort.—A l'exemple de Mahomet, dis-je, en interrompant Sarmiento, tu te trompes, mon ami, et ton injustice envers les femmes, te fait évidemment adopter une opinion fausse, et que jamais rien n'autorisa. Mahomet ne damne point les femmes; je suis étonné qu'avec l'érudition que tu nous étales, tu ne saches pas mieux l'alcoran. Quiconque croira, et fera de bonnes moeurs, soit homme, soit femme, il entrera dans le paradis, dit expressément le prophète, dans son soixantième chapitre; et dans plusieurs autres, il établit positivement que l'on trouvera dans le paradis, non-seulement celles de ses femmes que l'on aura le mieux aimées sur la terre, mais même de belles filles vierges, ce qui prouve qu'indépendamment de celles-ci, qui sont les femmes célestes, il en admettait de terrestres, et qu'il ne lui est jamais venu dans l'esprit de les exclure des béatitudes éternelles. Pardonne-moi cette digression en faveur d'un sexe que tu méprises, et que j'idolâtre; et continue tes intéressans récits.—Que Mahomet damne ou sauve les femmes, dit le Portugais, ce qu'il y a de bien sûr, c'est que ce ne seraient pas elles qui me feraient désirer le paradis, si je croyais à cette fable-là, et fussent-elles toutes anéanties sur le globe, que Lucifer m'écorche tout vif, si je m'en trouvais plus à plaindre. Malheur à qui ne peut se passer, dans ses plaisirs ou dans sa société, d'un sexe bas, trompeur et faux, toujours occupé de nuire ou de teindre, toujours rampant, toujours perfide, et qui, comme la couleuvre, n'élève un instant la tête au-dessus du sol, que pour y carder son venin. Mais ne m'interromps plus, frère, si tu veux que je poursuive.

A l'égard des hommes, reprit mon instituteur, ils leur inspirent d'être soumis, d'abord aux prêtres, puis au roi, et définitivement à leurs chefs particuliers; ils leur recommandent d'être toujours prêts à verser leur sang pour l'une ou l'autre de ces causes.

Le danger des écoles, en Europe, est souvent le libertinage; ici, il en devient une loi. Un époux mépriserait sa femme, si elle lui donnait ses prémices[19]; ils appartiennent de droit aux prêtres; eux-seuls doivent flétrir cette fleur imaginaire, où nous avons la folie d'attacher tant de prix; de cette règle sont pourtant exceptés les sujets qui doivent être conduits au roi. Resserrés avec soin dans les maisons des gouverneurs de chaque province, ils n'entrent point dans les écoles; c'est un droit que les prêtres n'ont jamais osé disputer à leur souverain qui le possède, comme chef du temporel et du spirituel Toutes ces roses se cueillent à certains jours de fêtes, prescrits dans leur calendrier. Alors les temples se ferment; il n'est plus permis qu'aux seuls prêtres, d'y entrer, le plus grand silence règne aux environs; ou immoleroit impitoyablement quiconque oseroit le troubler. La défloration se fait aux pieds de l'idole. Le chef commence, il est suivi du collège entier. Les filles sont présentées deux fois, les garçons, une. Des sacrifices, suivent la cérémonie; à treize ou quatorze ans, les élèves retournent dans leurs familles; on leur demande s'ils ont été sanctifiés: s'ils ne l'avaient pas été, les garçons seraient horriblement méprisés, et les filles ne trouveraient aucun époux. Ce qui s'opère dans les provinces, se pratique de même dans la capitale; la seule différence qu'il y ait, lors de ces initiations, consiste dans le droit qu'a le monarque d'opérer, s'il veut, avant les prêtres. Ici, comme dans le royaume de Juida, si quelqu'un refusait de placer ses enfans dans ces écoles, les prêtres pourraient les faire enlever.—Que d'infamies, m'écriai-je; toutes ces turpitudes me choquent au dernier point. Mais je ne tiens pas, je l'avoue, à voir la pédérastie érigée en initiation religieuse; à quel point de corruption doit être parvenu un peuple, pour instituer ainsi en coutume, le vice le plus affreux, le plus destructeur de l'humanité, le plus scandaleux, le plus contraire aux loix de la nature, et le plus dégoûtant de la terre.—Que d'invectives, me répondit le Portugais, (trop malheureux partisan de cette intolérable dépravation!) Écoute, ami, je veux bien m'interrompre un moment, pour te convaincre de tes torts, .au risque de contrarier quelques uns de mes principes, pour mieux te prouver l'injustice des tiens. N'imagine pas que cette erreur à laquelle on attache une si grande importance en Europe, soit aussi conséquente qu'on le croit. De quelque manière qu'on veuille l'envisager, on ne la trouvera dangereuse, que dans un seul point. Le tort qu'elle fait à la population. Mais ce tort est-il bien réel? c'est ce qu'il s'agit d'examiner. Qu'arrive-t-il, en tolérant cet écart? qu'il naît, je le suppose, dans l'état, un petit nombre d'enfans de moins; est-ce donc un si grand mal, que cette diminution, et quel est le gouvernement assez faible, pour pouvoir s'en douter? Faut-il à l'État, un plus grand nombre de citoyens, que celui qu'il peut nourrir? Au-delà de cette quantité, tous les hommes, dans l'exacte justice, ne devraient-ils pas être maîtres de produire, ou de ne pas produire; je ne connais rien de si risible, que d'entendre crier sans-cesse pour la population. Vos compatriotes, sur-tout, vos chers Français, qui ne s'aperçoivent pas que si leur gouvernement les traite avec tant d'indifférence, que si leur fuite, leur mort le touche si peu, que si leurs loix les sacrifient chaque jour si inhumainement, ce n'est qu'à cause de leur trop grande population; que si cette population était moindre, ils deviendraient bien autrement chers à cet État qui se moque d'eux, et seraient bien autrement épargnés par le glaive atroce de Thémis; mais laissons ces imbéciles crier tout à leur aise, laissons-les remplir leurs dégoûtantes compilations de projets fastueux, pour augmenter des hommes, dont l'excès forme déjà un des plus grands vices de leur État, et voyons seulement si ce qu'ils désirent est un bien. J'ose dire que non: j'ose assurer que par-tout où la population et le luxe seront médiocres, l'égalité, dont tu parais si partisan, sera plus entière, et par conséquent, le bonheur de l'individu, plus certain. C'est l'abondance du peuple, et l'accroissement du luxe, qui produit l'inégalité des conditions, et tous les malheurs qui en résultent. Les hommes sont tous frères, chez le peuple médiocre et frugal; ils ne se connaissent plus, quand le luxe les déguise et que la population les avilit; à mesure qu'augmentent l'un et l'autre de ces choses, les droits du plus fort naissent insensiblement; ils asservissent le plus faible, le despotisme s'établit, le peuple se dégrade, et se trouve bientôt écrasé sous le poids des fers, que sa propre abondance lui forge[20]; ce qui diminue la population dans un État, sert donc cet État, au lieu de lui nuire; politiquement considéré, voilà donc ce vice si abominable, dans la classe des vertus, plutôt que dans celle des crimes, chez toutes les nations philosophes. L'examinerons-nous du côté de la nature? Ah! si l'intention de la nature eût été que tous les grains de bleds germassent, elle eût donné une meilleure constitution à la terre. Cette terre ne se trouverait pas si long-tems hors d'état de rapporter; toujours féconde, n'attendant jamais que la semence, on ne lui donnerait jamais, qu'elle ne rendît. Un coup-d'oeil sur le physique des femmes, et voyons si cela est. Une femme qui vit 70 ans, je suppose, en passe d'abord 14 sans pouvoir encore être utile; puis 20, où elle ne peut plus l'être: reste à 36, sur lesquelles il faut prélever 3 mois par an, où ses infirmités doivent encore l'empêcher de travailler aux vues de la nature, si elle est sage, et qu'elle veuille que le fruit produit soit bon. Reste donc 27 ans, au plus, sur 70, où la nature lui permet de la servir. Je le demande, est-il raisonnable de penser que si les vues de la nature tendaient à ce que rien ne fût perdu, elle consentirait à perdre autant[21], et si cette perte est indiquée par ses propres loix, pouvons-nous légitimement contraindre les nôtres à punir ce qu'elle exige elle-même? La propagation n'est certainement pas une loi de la nature, elle n'en est qu'une tolérance: a-t-elle eu besoin de nous, pour produire les premières espèces? N'imaginons pas que nous lui soyons plus nécessaires pour les conserver, si l'existence de ces espèces était essentielle à ses plans; ce que nous adoptons de contraire à cette opinion, n'est que le fruit de notre orgueil.

Quand il n'y aurait pas un seul homme sur la terre, tout n'en irait pas moins comme il va; nous jouissons de ce que nous trouvons; mais, rien n'est créé pour nous; misérables créatures que nous sommes, sujets aux mêmes accidens que les autres animaux, naissant comme eux, mourant comme eux, ne pouvant vivre, nous conserver et nous multiplier que comme eux, nous nous avisons d'avoir de l'orgueil, nous nous avisons de croire que c'est en faveur de notre précieuse espèce que le soleil luit, et que les plantes croissent. O déplorable aveuglement! convainquons-nous donc que la nature se passerait aussi bien de nous, que de la classe des fourmis ou de celle des mouches; et que d'après cela, nous ne sommes nullement obligés à la servir dans la multiplication d'une espèce qui lui est indifférente, et dont l'extinction totale n'altérerait aucune de ses loix. On peut donc perdre, sans l'offenser en quoi que ce soit. Que dis-je? nous la servons, en n'augmentant pas une sorte de créature, dont la ruine entière, en lui rendant l'honneur de ses premières créations, lui ferait reprendre des droits, que sa tolérance nous cède. Le voilà donc, ce vice dangereux, ce vice épouvantable contre lequel s'arme imbécilement les loix et la société, le voilà donc démontré utile à l'État et à la nature, puisqu'il rend à l'un son énergie, en lui ôtant ce qu'il a de trop, et à l'autre sa puissance, en lui laissant l'exercice de ces premières opérations. Eh! si ce penchant n'était pas naturel, en recevrait-on les impressions, dès l'enfance? ne cèderait-il pas aux efforts de ceux qui dirigent ce premier âge de l'homme. Qu'on examine pourtant, les êtres qui en son empreints; il se développe; malgré toutes les digues qu'on lui oppose, il se fortifie avec les années; il résiste aux avis, aux sollicitations, aux terreurs d'une vie à venir, aux punitions, aux mépris, aux plus piquans attraits de l'autre sexe; est-ce donc l'ouvrage de la dépravation, qu'un goût qui s'annonce ainsi, et que veut-on qu'il soit, si ce n'est l'inspiration la plus certaine de la nature? Or, si cela est, l'offense-t-il? Inspirerait-elle ce qui l'outragerait? Permettrait-elle ce qui gênerait ses loix? Favoriserait-elle des mêmes dons, et ceux qui la servent, et ceux qui la dégradent? Etudions-la mieux, cette indulgente nature, avant d'oser lui fixer des limites. Analisons ses loix, scrutons ses intentions, et ne hasardons jamais de la faire parler sans l'entendre.

Osons n'en point douter enfin, il n'est pas dans les intentions de cette mère sage que ce goût s'éteigne jamais; il entre au contraire dans ses plans qu'il y ait, et des hommes qui ne procréent point, et plus de quarante ans dans la vie des femmes où elles ne le puissent pas, afin de nous bien convaincre que la propagation n'est pas dans ses loix, qu'elle ne l'estime point, qu'elle ne lui sert point, et que nous sommes les maîtres d'en user sur cet article comme bon nous semble, sans lui déplaire en quoi que ce soit, sans atténuer en rien sa puissance.

Cesse donc de te récrier contre le plus simple des travers, contre une fantaisie où l'homme est entraîné par mille causes physiques que rien ne peut changer ni détruire, contre une habitude enfin, que l'on tient de la nature, qui la sert, qui sert à l'État, qui ne fait aucun tort à la société, qui ne trouve d'antagonistes que parmi le sexe, dont elle abjure le culte, raison trop faible, sans doute, pour lui dresser des échafauds. Si tu ne veux pas imiter les philosophes de la Grèce, respecte au moins leurs opinions: Licurgue et Solon armèrent-ils Thémis contre ces infortunés? Bien plus adroits, sans doute, ils tournèrent au bien et à la gloire de la patrie le vice qu'ils y trouvèrent régnant. Ils en profitèrent pour allumer le patriotisme dans l'âme de leurs compatriotes: c'était dans le fameux bataillon des amans et des aimés[22] que résidait la valeur de l'État. N'imagine donc pas que ce qui fit fleurir un peuple, puisse jamais en dégrader un autre. Que le soin de la cure de ces infidèles regarde uniquement le sexe qu'ils dépriment; que ce soit avec des chaînes de fleurs que l'amour les ramène en son temple; mais s'ils les brisent, s'ils résistent au joug de ce Dieu, ne crois pas que des invectives ou des sarcasmes, que des fers ou des bourreaux les convertissent plus sûrement: on fait avec les uns des stupides, et des lâches, des fanatiques avec les autres; on s'est rendu coupable de bêtises et de cruautés, et on n'a pas un vice de moins[23].

Mais reprenons: quel fruit recueilleras-tu de la description que tu me demandes, si tu en interromps sans cesse le récit?

Les crimes contre la religion, continue le Portugais, existent ici comme dans notre Europe, et y sont même plus sévèrement punis[24]; le premier prêtre en devient le souverain juge et l'exécuteur: un mot contre le clergé ou contre l'idole, quelques négligences au service public du temple, l'inobservance de quelques fêtes, le refus de placer ses enfans dans les écoles, tout cela est puni de mort: on dirait que ce malheureux peuple, pressé de voir sa fin, imagine avec soin tout ce qui peut l'accélérer.

Ignorant absolument l'art de transmettre les faits, soit par l'écriture, soit par les signes hiérogliphiques, ce peuple n'a conservé aucuns mémoriaux qui puissent servir à la connaissance de sa généalogie ou de son histoire; il ne s'en croit pas moins le peuple le plus ancien de la terre: il dominait autrefois, assure-t-il, tout le continent, et principalement la mer, qu'il ne connaît pourtant plus aujourd'hui; sa position dans le milieu des terres, ses perpétuelles dissentions avec les peuples de l'Orient et de l'Occident, qui l'empêchent de s'étendre jusques-là, le privera vraisemblablement encore long-tems de connaître les côtes qui l'avoisinent. Son seul commerce consiste à exporter son riz, son manioc et son maïs aux Jagas, qui habitant un pays sablonneux, se trouvent manquer souvent de ces précieuses denrées; ils en importent des poissons qu'il aime beaucoup et qu'il mange presqu'avec la même avidité que la chair humaine; les querelles survenues dans ces échanges sont un de ses fréquens motifs de guerre, et alors il se bat au lieu de commercer, les comptoirs deviennent des champs de bataille.

La politique, qui apprend à tromper ses semblables en évitant de l'être soi-même, cette science née de la fausseté et de l'ambition, dont l'homme c'était fait une vertu, l'homme social un devoir, et l'honnête homme un vice.... La politique, dis-je, est entièrement ignorée de ce peuple; ce n'est pas qu'il ne soit ambitieux et faux, mais il l'est sans art, et comme ceux auxquels il a affaire ne sont pas plus fins, il en résulte qu'ils se trompent gauchement les uns et les autres; mais tout autant que s'ils le faisaient avec plus d'industrie. Le peuple de Butua tâche d'être le plus fort dans les combats, de gagner le plus qu'il peut dans ses échanges, voilà où se bornent toutes ses ruses. Il vit d'ailleurs avec insouciance et sans s'inquiéter du lendemain, jouit du présent le mieux qu'il peut, ne se rappelle point le passé, et ne prévoit jamais l'avenir; il ne sait pas mieux l'âge qu'il a; il sait celui de ses enfans jusqu'à quinze ou vingt ans, puis il l'oublie et n'en parle plus.

Ces Africains ont quelques légères connaissances d'astronomie, mais elles sont mêlées d'une si grande foule d'erreurs et de superstition, qu'il est difficile d'y rien comprendre;

ils connaissent le cours des astres, prédisent assez bien les variations de l'atmosphère, et divisent leurs tems par les différentes phases de la lune: quand on leur demande quelle est la main qui meut les astres dans l'espace, quel est enfin le plus puissant des êtres, ils répondent que c'est leur idole, que c'est elle qui a créé tout ce que nous voyons, qui peut le détruire à son gré, et que c'est pour prévenir cette destruction qu'ils arrosent sans cesse ses autels de sang.

Leur nourriture ordinaire est le maïs, quelques poissons quand le commerce le leur en apporte, et de la chair humaine; ils en ont des boucheries publiques où l'on s'en fournit en tous tems; quelquefois ils joignent à cela de la chair de singe, qu'on estime fort dans ces contrées. Ils tirent du maïs une liqueur très-enivrante, et préférable à notre eau-de-vie; quelquefois ils la boivent pure, souvent ils la mêlent avec de l'eau communément mauvaise et saumâtre; ils ont une manière de confire et de garder l'igname[25], qui le rend délicat et bon.

Ils n'ont point de monnaie entr'eux, ni signe qui la représente: chacun vit de ce qu'il a; ceux qui veulent des productions étrangères rapportées par les commerçans, se les procurent par échange, ou en prêt d'esclaves, de femmes et d'enfans pour les travaux ou pour les plaisirs. La table du Roi est servie des prémices de tout ce qui croit dans le pays, et de tout ce qui s'y apporte; il y a des gens chargés d'aller retirer ces différens tributs, et sans s'incommoder en rien, la nation le nourrit ainsi en détail. Il en est de même de la table des chefs et des prêtes. Rien ne se vend au peuple que ces premières maisons ne soient fournies. Ce sont les tributs imposés sur le commerce, une fois acquittés, le marchand tire ce qu'il peut de sa denrée, et s'en fait payer comme je viens de le dire.

Les établissemens de ce peuple, aussi médiocres que sa population, ne se voient guères qu'aux endroits les plus cultivés: on compte là une douzaine de maisons ensemble, sous l'autorité du plus ancien chef de famille, et sept ou huit de ces bourgades composent un district, au Gouverneur duquel les chefs particuliers rendent compte, comme ceux-ci le font au Roi. Les besoins, les volontés, les caprices des Gouverneurs sont expliqués aux Lieutenans des bourgades, qui exécutent à l'instant les ordres de ces petits despotes, autrement, et cela sans que le Roi pût le blâmer, le Gouverneur ferait brûler la bourgade et exterminer ceux qui l'habitent. Ce Lieutenant de bourgade ou chef particulier n'a nulle autorité dans son district, il n'en n'a que dans sa famille comme tous les autres individus; il n'est en quelque façon que le premier agent du despote; il n'est point étonnant de voir un de ces petits souverains faire passer l'ordre à une bourgade de son département de lui envoyer telle ou telle denrée, telle fille ou tel garçon, et le refus de cette sommation coûter l'existence entière de la bourgade; moins rare encore de voir deux ou trois principaux chefs se réunir, pour aller, par seul principe d'amusement, saccager, détruire, incendier une bourgade, et en massacrer tous les habitans sans aucune distinction d'âge ou de sexe; vous voyez alors ces malheureux sortir de leur hutte avec leurs femmes et leurs enfans, présenter à genoux la tête aux coups qui les menacent, comme des victimes dévouées, et sans qu'il leur vienne seulement à l'esprit de se venger ou de se défendre ... puissant effet, d'un côté, de l'abaissement et de l'humiliation de ces peuples, et de l'autre, preuve bien singulière de l'excès du despotisme et de l'autorité des grands.... Que de réflexions fait naître cet exemple! serait-il réellement, comme je le suppose, une partie de l'humanité subordonnée à l'autre par les décrets de la main qui nous meut? Ne doit-on pas le croire en voyant ces usages dans l'enfance de toutes nos sociétés, comme chez ce peuple encore dans le sein de la nature, si cette nature incompréhensible a soumis à l'homme des animaux bien plus forts que lui, ne peut-elle pas lui avoir également donné des droits sur une portion affaiblie de ses semblables? et si cela est, que deviennent alors les systèmes d'humanité et de bienfaisance de nos associations policées?—Dusses-tu me gronder de l'interrompre encore, dis-je au Portugais, je ne te pardonne pas ces principes; ne tire jamais aucune conséquence, en faveur de la tyrannie, de toutes les horreurs que nous montre ce peuple; l'homme se corrompt dans le sein même de la nature, parce qu'il naît avec des passions dont les effets font frémir toutes les fois que la civilisation ne les enchaîne pas. Mais conclure de là que c'est chez l'homme sauvage et agreste qu'il faut se choisir des modèles, ou reconnaître les véritables inspirations de la nature, serait avancer une opinion fausse: la distance de l'homme à la nature est égale, puisqu'il peut être aussi-tôt corrompu par ses passions dès le berceau de cette nature, que dans son plus grand éloignement. C'est donc dans le calme qu'il faut juger l'homme, ou dans l'état tranquille où le mettent à la longue les digues de ses passions élevées par le législateur qui le civilise.—Je poursuivrai, reprit Sarmiento, car il faudrait, sans cela, discuter si cette main qui élève des digues, a réellement le droit de les édifier, si c'est un bonheur qu'elle l'entreprenne, si les passions qu'elle veut subjuguer sont bonnes ou mauvaises, si, de quelqu'espèce qu'elles puissent être, leurs effets contrariés les uns par les autres, ne contribueraient pas plus au bonheur de l'homme que cette civilisation qui le dégrade; or, nous perdrions un tems énorme dans cette dissertation, et nous aurions beaucoup parlé tous deux sans nous convaincre.... Je reprends donc.

Lorsque les prêtres veulent une victime; ils annoncent que leur Dieu leur est apparu, qu'il a désiré tel ou telle, et dans l'instant il faut que l'être requis soit remis au temple, loi cruelle sans doute, loi dictée par les seules passions, puisqu'elle les favorise toutes.

Sans l'intime union des chefs spirituels et temporels, peut-être ce peuple serait-il moins foulé; mais l'égalité de leur pouvoir leur a prouvé la nécessité d'être unis pour se mieux satisfaire, d'où il résulte que la masse de ces deux autorités despotiques pressant également de par-tout ce peuple infortuné, le dissout et l'écrase à-la-fois[26].

Les habitans du Royaume de Butua ont un souverain mépris pour tous ceux qui ne savent pas gagner leur vie; ils disent que chaque individu tenant à un district quelconque, et devant être nourri par ce district s'il y remplit sa tâche, ne doit manquer que par sa faute; de ce moment ils l'abandonnent, ne lui fournissent aucune sorte de secours, et en cet état de délaissement et d'inaction, il devient bientôt la victime du riche, qui l'immole, en disant que l'homme mort est moins malheureux que l'homme souffrant.

Ici la médecine s'exerce par les prêtres secondaires des temples;. ils ont quelques teintures de botanique qui les mettent à même d'ordonner certains remèdes quelque fois assez à propos. Ils n'exercent jamais ce ministère gratis, ils se font payer en prêt de femmes, de garçons ou d'esclaves, cela regarde la famille du malade; ils n'exigent aucuns comestibles, qu'en feraient-ils dans une maison plus que suffisamment entretenue par les revenus de l'idole qu'on y sert.

Chaque particulier prend en mariage autant de femmes qu'il en peut nourrir; le chef de chaque district à l'instar du Roi, a un sérail plus ou moins considérable, et communément proportionne à l'étendue de son domaine. Ce sérail, composé comme je l'ai dit, des tributs qu'il retire, est dirigé par des esclaves qui ne sont point eunuques; mais dans une si grande dépendance, d'ailleurs, si prêts à tout moment à perdre la vie, que rien n'est plus rare que leur malversation. Il y a dans ce sérail une Sultane privilégiée et regardée comme la maîtresse de la maison: elle change fort souvent; cependant, tant qu'elle règne, les enfans qu'elle fait, ce qui est fort rare, sont regardés comme légitimes, et l'aîné de tous ceux que le père a eu pendant sa vie, n'importe de quelle femme, succède à tous les biens. Tant que cette première Sultane est regardée comme favorite, elle a une sorte d'inspection sur les autres, sans qu'elle soit pour cela elle-même dispensée de la subordination cruelle imposée à son sexe; dès qu'elle a eu des enfans, elle est communément reléguée dans quelque coin de la maison, où l'on n'entend plus parler d'elle: ce qui fait que la manière la plus sûre dont elle puisse conserver son rang, est de ne jamais être enceinte; aussi l'art de ces femmes est-il inouï sur cet article.

Indépendamment des lions et des tigres qui se tiennent vers le Nord du Royaume, dans la partie la plus couverte de bois, on voit ici quelques quadrupèdes absolument inconnus en Europe: il y a entr'autres un animal un peu moins gros que le boeuf, qui tient du cheval et du cerf; on rencontre aussi quelques girafes[27]. Il y a beaucoup d'oiseaux singuliers, mais qui s'arrêtant peu, et qui n'étant jamais chassés, deviennent très-difficiles à connaître.

La nature y est aussi très-variée dans les plantes et dans les reptiles: il y en a beaucoup de venimeux dans l'un et l'autre genre, et ce peuple, singulièrement raffiné dans toutes les manières d'être cruel, compose avec une de ces plantes, qui ne croît que dans ces climats, une sorte de poison si actif, qu'il donne la mort en une minute[28]; quelquefois ils en n'imbibent la pointe de leurs flèches, dont les plus légères blessures alors font tomber dans des convulsions qui entraînent bientôt la mort après elles; mais ils se gardent bien de manger la chair de ceux qui meurent de cette manière.

Essayons maintenant de rapprocher les traits qui caractérisent ce peuple, par des coups de pinceaux plus rapides: ils sont tous extrêmement noirs, courts, nerveux, les cheveux crépus, naturellement sains, bien pris dans leur taille, les dents belles, et vivant très-vieux, ils sont adonnés à toutes sortes de crimes, principalement à ceux de la luxure, de la cruauté, de la vengeance et de la superstition, et d'ailleurs, emportés, traîtres, colères et ignorans. Leurs femmes sont mieux faites qu'eux: elles ont les formes superbes; elles sont fraîches, et presque toutes ont de belles dents et de beaux yeux; mais elles sont si cruellement traitées, si abruties par le despotisme de leurs époux, que leurs attraits ne se soutiennent pas au-delà de 30 ans, et qu'elles ne vivent guères au-delà de 50.

Quant au luxe et aux arts de ces peuples, tu vois jusqu'où ils s'étendent; quelques poteries qu'ils vernissent assez bien avec le jus d'une plante indigène de ces climats; quelques claies, quelques paniers et des nattes délicatement travaillées, mais qui ne sont l'ouvrage que des femmes.

Le Roi, qui connaît l'espèce des femmes blanches, et qui en a eu quelques-unes échouées sur les côtes des Jagas, tient d'elles une petite quantité d'ouvrages plus précieux, que tu pourras voir dans son palais. Le peu qu'il a connu de ces femmes l'en a rendu très-friand, et il paierait d'une partie de son Royaume celles qu'on pourrait lui procurer.

Entièrement privé de sensibilité, et peut-être en cela plus heureux que nous, ces sauvages n'imaginent pas qu'on puisse s'affliger de la mort d'un parent ou d'un ami; ils voient expirer l'un ou l'autre sans la plus légère marque d'altération, souvent même ils les achèvent, quand ils les voient sans espérance de guérir, ou parvenus à un âge trop avancé, et cela sans penser faire le plus petit mal. Il vaut mille fois mieux, disent-ils, se défaire de gens qui souffrent, ou qui sont inutiles, que de les laisser dans un monde, dont ils ne connaissent plus que les horreurs.

Leur manière d'enterrer les morts, est de placer tout simplement le cadavre aux pieds d'un arbre, sans nul respect, sans aucune cérémonie, et sans plus de façon qu'on n'en ferait pour un animal. De quelle nécessité sont nos usages sur cela? Un homme non n'est plus bon à rien, il ne sent plus rien; c'est une folie que d'imaginer qu'on lui doive autre chose que de le placer dans un coin de terre, n'importe où; quelquefois ils le mangent, quand il n'est pas mort de maladie. Mais, quelque chose qu'il arrive, les prêtres n'ont rien à faire en cet instant, et quelque soient leurs vexations sur tout le reste, elle ne s'étend pas cependant jusqu'à se faire ridiculement payer du droit de rendre un cadavre aux élémens qui l'ont formé.

Leurs notions sur le sort des âmes après cette vie, sont fort confuses; d'abord, ils ne croient pas que l'âme soit une chose distincte du corps; ils disent qu'elle n'est que le résultat de la sorte d'organisation que nous avons reçue de la nature, que chaque genre d'organisation nécessite une âme différente, et que telle est la seule distance qu'il y ait entre les animaux et nous. Ce système m'a paru bien philosophique pour eux.

Mais cette étincelle de raison est bientôt étouffée par des extravagances pitoyables: ils disent que la mort n'est qu'un sommeil, au bout duquel ils se trouveront tout entiers et tels qu'ils étaient dans ce monde, sur les bords d'un fleuve charmant, où tout concourra à leurs désirs, où ils auront des femmes blanches et des poissons en abondance. Ils ouvrent ce séjour fabuleux également aux bons comme aux méchans, parce qu'il est égal, selon eux, d'être l'un ou l'autre; que rien ne dépend d'eux qu'ils ne se sont pas faits, et que l'Être qui a tout créé peut les punir d'avoir agi suivant ses vues.... Singulière manie des hommes, de ne pouvoir presque dans aucune de leurs associations se passer de l'idée absurde d'une vie à venir; il est bien singulier qu'il leur faille les plus puissans secours de l'étude et de la réflexion pour réussir à absorber en eux une chimère née de l'orgueil, aussi ridicule à admettre, et aussi cruellement destructive de toute félicité sur la terre.—Ami, dis-je à Sarmiento, il me paraît que tes systèmes....—Sont invariable sur ce point, répondit le Portugais; c'est vouloir s'aveugler à plaisir, que d'imaginer que quelque chose de nous survive; c'est se refuser à tous les argumens démonstratifs de la raison et du bon sens, c'est contrarier toutes les leçons que la nature nous offre, que de distinguer en nous quelque chose de la matière; c'est en méconnaître les propriétés, que de ne pas voir qu'elle est susceptible de toutes les opérations possibles par la seule différence de ses modifications.... Ah! Si cette âme sublime devait nous survivre, si elle était d'une substance immatérielle, s'altérerait-elle avec nos organes? croîtrait-elle avec nos forces, dégénérerait-elle au déclin de notre âge, serait-elle vigoureuse et saine, quand rien ne souffre en nous? Triste, abattue, languissante sitôt que se dérange notre santé; une âme qui suit aussi constamment toutes les variations du physique, ne peut guère appartenir au moral; mon ami, il faut être fou pour croire un instant que ce qui nous fait exister, soit autre chose que la combinaison particulière des élémens qui nous constituent: altérez ces élémens, vous altérez l'âme, séparez-les, tout s'anéantit; l'âme est donc dans ces élémens, elle n'en est donc que le résultat, mais n'en est point une chose distincte; elle est au corps ce que la flamme est à la matière qui le consume: ces deux choses agiraient-elles l'une sans l'autre? la flamme existerait-elle sans l'élément qui l'entretient? et réversiblement, celui-ci se consumerait-il sans la flamme? Ah! mon ami, sois bien en repos sur le sort de ton âme après cette vie,... elle ne sera pas plus malheureuse qu'elle l'était avant d'animer ton corps, et tu ne seras pas plus à plaindre pour avoir végété malgré toi quelques instans sur le globe, que tu ne l'étais avant d'y paraître.—Sans me donner le tems de détruire ou de réfuter une opinion si contraire à la raison et à la délicatesse de l'homme sensible, si injurieuse à la puissance de l'Être qui ne nous a donné cette âme immortelle que pour arriver par son moyen à la sublime idée de son existence, d'où découle naturellement la suite et la nécessité de nos devoirs, tant envers ce Dieu saint et puissant, que relativement aux autres créatures, au milieu desquelles il nous a placé; sans, dis-je, me permettre de lui répondre un mot, le Portugais, qui n'aimait point qu'on le contrariât, reprit ainsi le fil de sa description.

La connaissance que tu as des moeurs, des coutumes, des loix et de la religion des habitans du Royaume de Butua, te fait aisément deviner leur morale; aucuns de leurs actes de tyrannie et de cruauté, aucuns de leurs excès de débauche, aucunes de leurs hostilités ne passent pour des crimes chez eux. Pour légitimer les premiers articles, ils disent que la nature, en créant des individus inégaux, a prouvé qu'il y en avait quelques-uns qui devaient être soumis aux autres; elle n'eût mis sans cela aucune distance entr'eux: voilà l'argument d'après lequel ils partent pour molester leurs femmes, qui, selon leur manière de penser, ne sont que des animaux inférieurs à eux, et sur lesquels la nature leur donne toute espèce de droits; quant à leur égarement de débauche, l'homme, disent-ils, est conformé de manière à ce que telle chose peut plaire à l'un, et doit déplaire à l'autre: or, dès que la nature lui a soumis des êtres, qui, par leur faiblesse, doivent indifféremment satisfaire ou l'un ou l'autre de ces besoins, ils ne peuvent devenir des crimes; d'un côté, l'homme reçoit des goûts; de l'autre, il a ce qu'il faut pour se contenter: quelle apparence que la nature eût réuni ces deux moyens, si elle était offensée de la manière dont on en use.

Tout ce que je viens de dire, continua le Portugais en terminant son récit, va redoubler sans doute l'horreur que tu ressens déjà pour ce peuple, et d'après l'obligation où te voilà d'y vivre, j'ai peut-être eu tort de te donner autant de détails.—Sois bien certain, répondis-je, qu'il n'est aucun principe de ces monstres que je ne mette au rang des plus affreux écarts de la raison humaine; je ne suis pas plus scrupuleux qu'on ne doit l'être; tu dois, je crois, t'en être aperçu ... mais favoriser, suivre ou croire des maximes aussi révoltantes, est au-dessus de mes forces et de mon coeur.... Sarmiento voulut répliquer, je ne lui répondis plus, bien persuadé que je ne convertirais pas cet homme endurci, et que c'était une de ces sortes d'âmes dont la perversité rend la cure d'autant plus impossible, que ne se trouvant point dans un état de souffrance par cette dépravation, elles ne désirent nullement une meilleure manière d'être. Je lui témoignai, pour rompre notre dialogue, l'envie d'entrer dans une cabane où notre course nous avait conduit: nous y pénétrâmes; c'était l'asyle d'un homme du peuple: nous le trouvâmes assis sur des nattes, mangeant du maïs bouilli, et sa femme à genoux devant lui, le servant avec toutes les marques possibles de respect. Comme le Portugais était connu pour le favori du Prince, le Paysan se leva et s'agenouilla dès qu'il parut, peu après il lui présenta sa fille, jeune enfant de 13 ou 14 ans.... Tu vois la politesse de ces cantons, me dit Sarmiento. Dis-moi, dans quel pays de ton Europe on recevrait ainsi un étranger?... Il résulte donc quelque chose de bon de ce despotisme qui t'effraie, et le voilà donc au moins, dans un cas, d'accord avec la nature.—Ne mets cette coutume qu'au rang des écarts et des désordres, m'écriai-je, et puisqu'elle ne m'inspire que de l'éloignement et du dégoût, elle ne peut être dans la nature.—Dis, dans les moeurs, et ne confonds pas l'usage, le pli donné par l'éducation avec les loix de la nature.... Et pendant ce tems-là Sarmiento ayant repoussé durement la jeune fille, demanda du feu, alluma sa pipe, sortit, et nous regagnâmes la Capitale.

Il y avait déjà trois mois que j'étais dans ce triste séjour, maudissant mon malheur et mon existence, désespérant qu'aucun hasard m'y fit jamais rencontrer Léonore, n'aimant qu'elle, ne pensant qu'à elle, lorsque le sort, pour calmer un instant mes maux, fit naître au moins pour moi, l'occasion d'une bonne oeuvre.

J'étais sorti seul un matin pour aller rêver plus à l'aise à l'objet de mon coeur; je préférais ces promenades solitaires à celles où Sarmiento m'empestait de sa morale erronée, et cherchait toujours à combattre ou à pervertir mes principes, lorsque je découvris un spectacle fait pour arracher les pleurs de tous autres individus que ceux de ce peuple féroce, peu faits pour le plaisir touchant de s'attendrir sur les douleurs d'un sexe délicat et doux, que le ciel forma pour partager nos maux, pour mêler de roses les épines de la vie, et non pour être méprisées et traitées comme des bêtes de somme.

Une de ces malheureuses hersait un champ où son mari voulait semer du maïs, attelée à une charrue lourde; elle la traînait de toutes ses forces sur une terre grasse et spongieuse qu'il s'agissait d'entr'ouvrir. Indépendamment de ce travail pénible où succombait cette infortunée, elle avait deux enfans attachés devant elle, que nourrissait chacun de ses seins, elle pliait sous le joug; des sanglots et des cris s'entendaient malgré elle, sa sueur et ses larmes coulaient à-la-fois sur le front de ses deux enfans.... Un faux pas la fait chanceler ... elle tombe ... je la crus morte ... son barbare époux saute sur elle, armé d'un fouet, et l'accable de coups pour la faire relever.... Je n'écoute plus que la nature et mon coeur, je m'élance sur ce scélérat ... je le renverse dans le sillon ... je brise les liens qui attachent sa mourante compagne au timon de la charrue ... je la relève ... la presse sur ma poitrine, et l'assis sous un arbre à côté de moi ... elle était évanouie, elle serait morte sans ce secours.... Je tenais sur mes genoux ses enfans froissés de la chute.... Cette malheureuse ouvre enfin les yeux ... elle me regarde ... elle ne peut concevoir qu'il existe dans la nature un être qui peut la secourir et la venger ... elle me fixe avec étonnement; bientôt les larmes de sa reconnaissance arrosent les mains de son bienfaiteur ... elle prend ses enfans, elle les baise ... elle me les donne ... elle a l'air de m'engager à leur sauver la vie comme à elle. Je jouissais délicieusement de cette scène, lorsque j'aperçois le mari revenir à moi avec un de ses camarades; je me lève, décidé à les recevoir tous deux comme ils le méritent.... Ma contenance les effraie: j'emmène la femme, j'emporte les enfans, j'établis chez moi cette malheureuse famille, et défends au mari d'y paraître. Je fis demander le soir cette femme au Roi, comme si j'avais eu le dessein de la destiner à mes plaisirs: le Monarque, qui m'avait déjà beaucoup reproché le célibat dans lequel je vivais, me l'accorda sans difficulté, et fît défendre à l'époux d'approcher de ma maison. Je lui proposai d'être mon esclave: on ne peut peindre la joie qu'elle eut de l'accepter; je la chargeai donc du soin de mon petit ménage, et je rendis sa vie si douce, qu'elle voulait se tuer de désespoir quand elle sut que je songeais à quitter le pays. Il a donc, là comme ailleurs, de l'âme, de la sensibilité, de la reconnaissance et de la délicatesse, ce sexe si cruellement outragé dans ces féroces climats; il a donc tout ce qu'il faut pour rendre ses maîtres heureux, si, renonçant à l'affreux droit de le maîtriser, ces tyrans préféraient celui bien plus doux de cultiver des vertus qui feraient aussi bien la douceur de leur vie.

Sarmiento n'eut pas plutôt appris cette action qu'il la blâma; non-seulement elle choquait ses indignes maximes, mais elle était même, prétendait-il, contre les loix du pays, puisqu'elle ravissait à un époux les droits qu'il avait sur sa femme, et comment, d'ailleurs, avec de l'esprit, poursuivait ce cruel sophiste, comment l'imaginer avoir fait une bonne oeuvre, quand de deux êtres qu'intéresse cette action, il en reste un de malheureux.—Celui qui souffre était criminel.—Non, puisqu'il agissait d'après les usages de son pays; mais le fût-il, qu'importe, son crime le rendait heureux; en t'y opposant, tu fais un infortuné.—Il est juste que le coupable souffre.—Ce qui est juste, c'est qu'il n'y ait dans l'état de souffrance que l'être faible, créé par la nature pour végéter dans l'asservissement, et tu déranges cet ordre en prêtant ton secours à cet être faible, contre le maître qui a tout droit sur lui; aveuglé par une fausse pitié, dont les mouvemens sont trompeurs et les principes égoïstes, tu troubles et pervertis les vues de la nature; mais allons plus loin: supposons les deux êtres égaux, je n'en soutiens pas moins que si dans l'action à laquelle se livre l'homme que tu appelles humain, il faut nécessairement que des deux que cette action touche, il y en ait un de malheureux; l'action n'est plus vertueuse, elle est indifférente; car une bonne action qui n'est qu'aux dépens du bonheur d'un homme, une bonne action d'où résulte une manière d'être désagréable pour un des deux individus qu'elle touche, en remettant les choses comme elles étaient, ne peut plus être regardée comme vertueuse, elle n'est plus qu'indifférente, puisqu'elle n'a fait que changer les situations.—Elle est bonne dès qu'elle venge le crime.—Elle ne peut être telle, dès qu'elle laisse un individu dans le malheur, et pour qu'elle pût avoir ce caractère de bonté que tu lui supposes, il faudrait qu'on fût mieux instruit sur ce qui est crime ou sur ce qui ne l'est pas; tant que les idées de vice ou de vertu ne seront pas plus développées, tant qu'on variera, tant qu'on flottera sur ce qui caractérise l'un ou l'autre, celui qui, pour venger ce qu'il croit mal, rendra un autre être à plaindre, n'aura sûrement rien fait de vertueux.—Eh! que m'importent tes raisonnemens, dis-je en colère à ce maudit homme, il est si doux de se livrer à de telles actions, que fussent-elles même équivoques, il nous reste toujours au fond du coeur la jouissance délicieuse de les avoir faites.—D'accord, reprit Sarmiento, dis que tu as fait cette action parce qu'elle te flattait, que tu t'es livré, en la faisant, à un genre de plaisir analogue à ton organisation; que tu as cédé à une sorte de faiblesse flatteuse pour ton âme sensible; mais ne dis pas que tu as fait une bonne action, et si tu m'en vois faire une contraire, ne dis pas que j'en fais une mauvaise, dis que j'ai voulu jouir comme toi, et que nous avons cherché chacun ce qui convenait le mieux à notre manière de voir et de sentir.

Enfin la vengeance du Ciel éclata sur ce malheureux Portugais: le fourbe, en me dévoilant une partie de sa conduite, dont les détails que je vous cache, vous feraient frémir sans doute, m'avait pourtant déguisé le crime affreux qu'il méditait pour lors. Cet homme, sans âme, sans reconnaissance, comme tous ceux que l'ambition dévore, oubliant qu'il devoit la vie à ce Monarque contre lequel il complotait, osait penser à le détrôner pour se mettre lui-même à sa place. Avec les seules troupes de la Couronne, il imaginait forcer les grands vassaux à le reconnaître, ou les réduire à la servitude. Je pensai être enveloppé dans l'orage: heureusement le Roi, sûr de mon innocence, et ayant besoin de mes services, distingua le coupable, le punit seul, et me rendit justice.

J'ignorais, et le complot de ce scélérat, et la découverte qu'on venait d'en faire, lorsque, sortis tous deux un jour pour une de nos courses ordinaires, six nègres embusqués tombèrent sur lui, et l'étendirent à mes pieds; il respirait encore....—Je meurs, me dit-il, je connais la main qui me frappe, elle fait bien, dans deux jours je lui en ravissais la puissance; puisse le traître périr un jour comme moi. Ami, je pars en paix; ni amendement, ni correction même à cette heure cruelle où le voile tombe et la vérité perce; et si j'emporte un remords au tombeau, c'est de n'avoir pas comblé la mesure; tu vois qu'on meurt tranquille quand on me ressemble. Il n'y a de malheureux que celui qui espère; celui qui frémit, est celui qui croit encore; celui dont la foi est éteinte ne peut plus rien avoir à redouter: meurs comme moi si tu le peux.... Ses yeux se fermèrent, et son âme atroce alla paraître aux pieds de son Juge, souillée de tous les crimes, et du plus grand sans doute, l'impénitence finale.

Je ne perdis pas un instant, pour me rendre chez le roi, et m'éclaircissant avec lui, il me raconta les odieux desseins du Portugais, m'assura que je ne devais rien craindre, que mon innocence lui était connue, et que je pouvais continuer de le servir tranquille. Je rentrai chez moi, moins agité. Là, tout entier à mes réflexions, je me convainquis combien il est vrai qu'aucun crime ne reste sans châtiment, et que la main équitable de la Providence sait tôt ou tard accabler celui qui la méconnaît ou l'outrage. Cependant je plaignis et regrettai ce malheureux; je le plaignis, parce que plus un homme est entraîné au mal, plus il y est porté par des circonstances ou des causes physiques, et plus, sans-doute, il est à plaindre: je le regrettai, parce que c'était le seul être avec qui je pus raisonner quelquefois; il me semblait qu'isolé au milieu de ces barbares, je devenais plus faible et plus infortuné.

Depuis que j'y étais, j'avais déjà exercé mon ministère sur cinq troupes de femmes, sans qu'aucune blanche eût encore paru. Ne me flattant plus de voir jamais arriver ma chère

Léonore sur ces côtes, où l'espoir de la délivrer et de la ramener en Europe, fixait seul mes destins, je m'occupais sérieusement de mon secret départ, lorsque le roi me fit dire qu'il avait quelque chose à me communiquer. Il entendait fort bien le portugais: je l'avais appris avec Sarmiento, et j'étais, au moyen de cela, très en état, depuis quelque temps, de m'entretenir avec sa majesté; elle m'apprit donc qu'elle venait de recevoir des nouvelles d'une troupe de femmes blanches, actuellement dans un petit fort portugais, existant sur les frontières du Monomotapa, lesquelles seraient fort aisées à enlever; que pour parvenir à ce fort, il y avait à la vérité des montagnes presqu'inaccessibles à traverser, que les défilés de ces barrières étaient presque toujours gardés par les Bororès, peuple plus guerrier et plus cruel encore que le sien, mais que le moment était propice, parce que ces fiers et intraitables voisins se trouvaient alors très-occupés avec les Cimbas, leurs plus grands ennemis, et qu'il n'y avait aucun danger à entreprendre la conquête qu'il méditait. A l'égard des Portugais, je ne les crains pas, continua le monarque, ils sont d'ailleurs en très-petit nombre dans le fort dont je parle; ainsi rien ne peut troubler mon projet.

Il n'est pas besoin de vous dire avec quel empressement je le saisis moi-même; tout paraissait ici ranimer mon espoir; Léonore pouvait être au nombre de ces femmes blanches; obtenais-je la permission d'être de ce détachement, ou de le commander, une fois au fort portugais, j'emmenais Léonore en Europe, si j'étais assez heureux, pour l'y trouver. N'y était-elle pas, cette expédition m'ouvrait toujours la route des établissemens d'Europe, et je quittais ces barbares, dès que je me retrouvais avec des chrétiens.

Mais Ben Mâacoro avait autant de politique que moi; il redoutait ma désertion; il était attaché aux services que je lui rendais, et décidé à tout, pour me garder chez lui, à quelque prix que ce pût être, moyennant quoi, non-seulement je ne pus obtenir la conduite des troupes, mais il me fut même très-défendu d'être de l'expédition. Il ne me communiqua ce qu'il venait de me dire, que pour me faire part du plaisir qu'il en recevait, et me prévenir en même temps, d'être moins difficile sur le choix de ces femmes, parce que leur seule couleur suffisait pour lui plaire.

Mon triste espoir déçu aussi-tôt que formé, ma situation me sembla plus affreuse; je ne pouvais plus que craindre ce que je venais de désirer. Quel moyen me restait-il, pour ravir Léonore au roi, à supposer qu'elle fût parmi ces femmes? J'aurais la douleur de la lui livrer moi-même, sans la connaître. Un instant, je le sais, j'avais cru que le flambeau de l'amour m'empêcherait de m'égarer; mais cette idée n'était qu'un fruit de mon ivresse, que détruisait aussi-tôt la raison. De ce moment, je ne trouvai plus pour moi de tranquillité, qu'à me convaincre qu'il était impossible que Léonore fût au nombre de ces femmes; je regardai comme une chimère, ce qui venait de me rendre heureux, peu de temps avant.... Quelle apparence, me disais-je, que de la côte occidentale d'Afrique où on la supposait, lorsque je passai à Maroc, elle se trouve maintenant sur la côte orientale? Pour que cela pût être, il aurait fallu, ou qu'elle eût traversé les terres, ce qui était presque incroyable, ou qu'elle eût fait, par mer, le tour du continent, ce qui me paraissait encore plus difficile. Je chassai donc totalement cette pensée de mon esprit. Quand l'illusion qui nous a séduit, ne sert plus qu'à notre supplice, le plus court est de la détruire.

Je m'affermis si bien, d'après cela, dans l'impossibilité de mes craintes, que je ne m'occupai pas plus des femmes blanches qui allaient arriver, que je ne l'avais fait jusqu'alors des noires, et la ferme résolution de fuir, aussitôt que j'en trouverais le moyen, ne remplit que plus fortement mon esprit. Dès qu'il devenait impossible que Léonore parvint jamais dans le royaume, je devais mettre tout en usage pour aller la chercher ailleurs.

Le détachement se fit donc. Trente guerriers partirent mystérieusement, traversèrent les montagnes, sans risque, mirent en fuite les Portugais du fort de Tété, sur la frontière septentrionale du Monomotapa, prirent quatre femmes blanches, et les amenèrent voilées au roi, avec aussi peu de danger. On me fit avertir; je me plaçai, suivant l'usage, entre les deux nègres armés de massues, prêtes à fondre sur ma tête, au moindre mot, ou à la plus légère démarche qui pût s'éloigner de mon ministère.

Rien de moins effrayant pour moi que cette formalité, si j'eusse eu le moindre soupçon que ma chère Léonore dût être au nombre de ces femmes, mille morts ne m'eussent pas empêché de la saisir et de l'emporter au bout du monde. Mais je m'étais tellement affermi dans l'idée que cela ne pouvait être, que j'examinai ces femmes-ci avec la même indifférence que les autres; deux me parurent de vingt-cinq à trente ans; l'une desquelles me sembla mal faite, très-brune de peau, et très-éloignée d'être comme il les fallait au monarque; l'autre était joliment tournée, mais plus de prémices. La troisième fixa plus long-tems mes regards; je dus la soupçonner beaucoup plus jeune que les deux premières. Sa peau était éblouissante, et toutes les parties de son corps, formées comme par la main même des grâces. Elle répugnait beaucoup à l'examen, et quand il fallut constater sa vertu, elle se détendit horriblement. La manière dont ces femmes étaient voilées, quand on les présentait, ajoutait beaucoup à la terreur que cette cérémonie jetait dans l'âme de celles qui n'étaient pas du pays. Non-seulement il n'était pas possible de les voir; mais elles-mêmes, les yeux bandés sous leurs voiles, ne pouvaient discerner, ni avec qui elles étaient, ni ce qu'on allait leur faire.

Les défenses multipliées de celle-ci, m'embarrassèrent beaucoup, la force ou la contrainte ne s'arrangeant pas à ma délicatesse, cependant je devais rendre un compte exact; je me trouvai donc obligé de faire demander au roi ce qu'il prétendait que je fisse; il m'envoya deux femmes de sa garde, munies de l'ordre de contenir la jeune fille, et de l'empêcher de se soustraire aux opérations de mon devoir. Elle fut saisie, et je poursuivis mes recherches; elles devinrent très-embarrassantes. Pas assez bon anatomiste, pour décider en dernier ressort, sur une chose qui me parut douteuse, je me contentai d'établir sur celle-là, dans mon rapport, que je lui supposais absolument tout ce qu'il fallait pour plaire à son maître, et que si les choses n'étaient pas tout-à-fait dans l'entier qu'il leur désirait, il s'en fallait de si peu, que l'illusion lui serait encore permise. Quant à la quatrième, c'était une vieille femme, et je la réformai, ainsi que la première; mais le roi ne s'empara pas moins de toutes les quatre; il était si enthousiasmé des femmes blanches, qu'il n'en voulut soustraire aucune. Mon opération faite, les femmes entrèrent au sérail, et je me retirai.

A peine fus-je seul, que les résistances de cette jeune personne, ses charmes, la cruauté que j'avais eu d'appeler du secours; tout cela, dis-je, vint agiter mon coeur en mille sens divers: je voulus chercher un peu de repos, et cette charmante créature venait s'offrir sans-cesse à mon imagination: ô toi, que j'idolâtre, m'écriai-je, serais-je donc coupable envers toi; non, non, épouse adorée, nuls attraits ne balanceront les tiens, dans l'âme où s'érige ton temple.... Mais Léonore, si tu m'enflammas; ô Léonore, si tu es belle; hélas! tu ne peux l'être qu'ainsi, et je l'avoue, mes sens tranquilles jusqu'alors, s'irritèrent avec impétuosité. Je ne fus plus maître de les contenir; il me semblait que l'amour même, entr'ouvrant les gazes qui voilaient cette malheureuse captive, m'offrait les traits chéris de mon coeur; séduit par cette douce et cruelle illusion, j'osai, pour la première fois de ma vie être un instant heureux sans Léonore. Je m'endormis, et ces chimères s'évanouirent avec les ombres de la nuit.

Je demandai le lendemain à Ben Mâacoro, s'il était content de ses prisonnières; mais je fus bien étonné de le trouver dans une situation d'esprit où je ne l'avais jamais vu jusqu'alors. Il était soucieux, inquiet; à peine me répondit-il: je crus démêler même, qu'il me regardait avec humeur; je me retirai, sans oser renouveler ma demande, et m'effrayant un peu, je l'avoue, de ce changement dans l'air de sa majesté, craignant qu'on ne l'eût prévenu contre moi, et d'être, tôt ou tard, victime de son injustice ou de sa barbarie, je ne pensai plus qu'à mon départ. Le sort de ma malheureuse négresse m'inquiétait; je ne voulais pas la rendre à un époux qui l'aurait infailliblement tuée; je ne voulais pas m'en charger, quelque désir qu'elle eût eu de me suivre; affectant d'en être dégoûté, quoique je n'eus jamais eu de commerce avec elle, je priai un vieux chef des troupes du roi, qui m'avait paru plus honnête que ses compatriotes, de vouloir bien la recevoir au nombre de ses esclaves, et de la bien traiter, puis je m'évadai mystérieusement, vers l'entrée de la troisième nuit qui suivit l'arrivée des Européennes, dans le royaume de Butua. Triste victime de la fortune, misérable jouet de ses caprices jusqu'à quand devais-je donc être ainsi ballotté par elle? Je fuyais, j'allais encore chercher au bout de l'univers, celle que je venais de livrer moi-même au plus brutal, au plus libertin, au plus odieux des hommes.

Oh dieu! vous me faites frissonner, dit la présidente de Blamont, en interrompant Sainville: Quoi, monsieur, c'était Léonore?... Quoi, madame, c'était vous?... et vous n'avez pas été ... et vous ne fûtes pas mangée? Toute la société ne put s'empêcher de rire de la vivacité naïve de la restriction plaisante de madame de Blamont.—Madame, je vous en conjure, dit le comte de Baulè, n'interrompons-plus monsieur de Sainville, d'abord, par l'empressement que nous devons tous avoir, de connaître le dénouement de ses aventures, et en second lieu, pour apprendre de cette dame charmante, comment elle put se rencontrer là, et y étant, comme elle put échapper à tous les dangers qui la menaçaient.

Je dirigeai sur-le-champ mes pas au midi, poursuivit Sainville, et beaucoup plus près des frontières du pays des Hottentots, que je ne le croyais. Le lendemain, je me trouvai sur les bords de la rivière de Berg, qui mouille deux ou trois bourgades hollandaises, dont la chaîne se prolonge depuis le Cap, jusqu'à cent cinquante lieues, dans l'intérieur de l'Afrique; je trouvai ces Colons tellement dénaturalisés, ils y vivaient si bien à la manière du pays, qu'il devenait très-difficile de les distinguer des indigènes. Il y en a parmi eux, qui ne sont que les petits enfans des Hollandais du Cap, et qui n'y ont jamais été de leur vie; fils d'Européens et d'Hottentots, on ne saurait démêler ce qu'ils sont; on ne peut plus même les entendre. Je fus reçu néanmoins avec toute sorte d'humanité, dans ces établissemens; ils me reconnurent pour Européen; mais ce ne fut que par signe, que je pus démêler leur idée sur cela, et que je parvins à leur faire comprendre les miennes; il n'y eut jamais moyen de se parler.

J'avais d'abord eu le projet de suivre le cours du Berg, et de ne point perdre de vue, la chaîne des monts Lupata, au pied desquels est situé le Cap; ensuite, je crus plus sur de me régler sur la côte, espérant d'y trouver un plus grand nombre d'établissemens hollandais, et par conséquent plus de secours; ce dernier parti me réussit: ces villages, extrêmement multipliés dans cette partie, m'offrirent presque chaque soir, un asyle. Je rencontrai plusieurs troupes de sauvages, dont quelques-unes me parurent appartenir à la nation jaune, nouvellement découverte dans cette partie, et le dix-huitième jour de mon départ de Butua, après avoir longé près de 150 lieues de côtes, j'arrivai dans la ville du Cap, où je trouvai, dans l'instant, tous les secours que j'aurais pu rencontrer dans la meilleure ville de Hollande; mes lettres de change furent acceptées, et l'on m'offrit de m'en escompter ce que je voudrais, ou même le tout, si je le jugeais à propos. Ces premiers soins remplis, et m'étant vêtu convenablement, j'allai trouver le gouverneur hollandais. Dès qu'il eut su l'objet de mon voyage, dès qu'il eu vu le portrait de Léonore, il m'assura qu'une femme absolument semblable à la miniature que je lui faisais voir, était à bord de la Découverte, second navire anglais, accompagnant Cook, et commandé par le capitaine Clarke, qui venait de mouiller récemment au Cap. Il m'ajouta que cette femme, singulièrement aimable et douce, très-attachée au lieutenant de ce vaisseau, dont elle se disait l'épouse, avait paru sous ce titre chez lui, et chez les autres officiers de la garnison, et avait emporté l'estime et la considération générale. Me rappelant tout de suite, qu'à Maroc on assurait également avoir vu la même femme sur un bâtiment anglais, j'offre une seconde fois le portrait aux yeux du Gouverneur. Oh! Monsieur, lui dis-je égaré, ne vous trompez-vous point, est-ce bien celle-là? est-ce bien là la femme qui peut être l'épouse d'un autre? Soyez-en sûr, me répondit ce militaire, et présentant alors le portrait à sa femme et à plusieurs officiers de son état-major, il fut unanimement reconnu, pour ne pouvoir appartenir qu'à l'épouse du lieutenant de la Découverte. Je me crus donc perdu sans ressource, et mon malheur s'offrit à moi sous des faces si odieuses, que je ne vis même rien, qui pût en adoucir l'horreur; j'avais bien voulu douter que le ciel pût mettre Léonore entre mes mains, chez le roi de Butua; là, je m'aveuglais sur un fait qui n'était que trop sûr, et lorsque tout ici pouvait me prouver l'impossibilité de mes craintes, si j'avais mieux examiné les choses. Je croyais tout aveuglément; je n'avais point eu de nouvelles de Léonore, depuis Salé; il était possible, ou qu'elle eût passé de-là, dans quelques colonies anglaises, ou qu'au lieu de venir en Afrique, comme on le croyait, elle eût été à Londres: on peut indifféremment de Salé, parvenir à l'un ou à l'autre de ces points, moyennant quoi, rien de plus simple, en admettant l'inconstance de celle que j'adorais; rien de plus naturel, qu'elle eût épousé le lieutenant de la Découverte, et qu'elle eût passé avec lui dans la mer du Sud, destination du troisième voyage de Cook.

Absolument rempli de ces idées, et sachant qu'il n'y avait pas plus de six semaines que les Anglais avaient quitté le Cap, je résolus de les suivre, de m'élancer sur le vaisseau qui emportait Léonore, de l'arracher des mains de celui qui osait me la ravir, de rappeler à cette femme perfide, les sermens que nous nous étions faits à la face des cieux, et de la contraindre à les remplir, ou me précipiter dans les flots, avec elle.

Ces résolutions prises, sans annoncer au gouverneur d'autres intentions que celles de suivre mon infidélité, je le conjurai de me vendre un petit bâtiment assez bon voilier, pour me permettre d'atteindre promptement les Anglais. D'abord il rit de mon projet, le trouva digne de mon âge, et fit tout ce qu'il put, pour m'en dissuader; mais quand il vit la violence avec laquelle j'y tenais, le désespoir prêt à s'emparer de moi, s'il me fallait y renoncer; n'ayant aucune raison de me refuser, dès que je lui proposais de payer tout, il m'accommoda d'un léger navire hollandais, qu'il m'assura devoir remplir mes intentions; il donna tous les ordres nécessaires pour la cargaison, pour l'équipement, y plaça des vivres pour six mois, six petites pièces de canon de fer, pour les sauvages, en me défendant expressément de tirer sur aucun Européen, à moins que ce ne fût pour me défendre; il joignit à cela dix soldats de marine, trente matelots, deux bons officiers marchands, et un excellent pilote. Je payai tout comptant, et laissai de plus entre ses mains, la solde de mon équipage, pour six mois. Tout étant prêt, ayant comblé le gouverneur des marques de ma reconnaissance, je mis à la voile, vers le milieu de décembre, me dirigeant sur l'isle d'Otaïti, où je savais que le capitaine Cook devait aller.

A peine eûmes-nous doublé le Cap, que nous essuyâmes un ouragan considérable, accident commun dans ces parages, dès qu'on a perdu la terre de vue. Peu fait encore à la grande mer, n'ayant guères couru que des côtes, sur de petits bâtimens, où le roulis se fait moins sentir, je souffrais tout ce qu'il est possible d'exprimer; mais les tourmens du corps ne sont rien, quand l'âme est vivement affectée: les sensations morales absorbent entièrement les maux physiques, et tous nos mouvemens concentrés dans l'âme, n'établissent que là le siège de la douleur.

Le trente-huitième jour, nous vîmes terre; c'était la pointe de la nouvelle Hollande, appellée terre de Diémen; nous sûmes là, par les sauvages, qu'il y avait peu de temps que les Anglais en étaient partis; mais faute d'interprètes, nous ne pûmes prendre aucune autre sorte d'éclaircissemens. Nous apprîmes seulement, que se dirigeant au Nord, ils remplissaient toujours le projet établi par eux, de relâcher à Otaïti. Nous suivîmes leurs traces.

Vous permettrez, dit Sainville, que je supprime ici les détails nautiques, et les descriptions d'iles où nous touchâmes; ce qui tient à cette route, si bien indiquée dans les voyages de Cook, ne vous apprendrait rien de nouveau; je ne vous arrêterai donc un instant, que sur la singulière découverte que je fis; l'île que je vous décrirai, totale ment inconnue aux navigateurs, offerte à mon vaisseau, par le hasard d'un coup de vent, qui nous y porta malgré nous, est trop intéressante par elle-même; tout ce qui la concerne la différencie trop essentiellement des descriptions de Cook; la rencontre enfin que j'y fis, est trop extraordinaire, pour que vous ne me pardonniez pas d'y fixer un moment vos regards.

Le vent était bon, la mer peu agitée; nous venions de doubler la Nouvelle Zélande, par le travers du canal de la Reine Charlotte, et nous avancions à pleine voile vers le Tropique; soupçonnant le groupe des îles de la Société, à peu de distance de nous, sur notre gauche, le pilote y dirigeait le Cap, lorsqu'un coup de vent d'Occident s'éleva avec une affreuse impétuosité, or nous éloigna tout-à-coup de ces îles. La tempête devint effroyable, elle était accompagnée d'une grêle si grosse, que les grains blessèrent plusieurs matelots. Nous carguâmes à l'instant nos voiles, nous abattîmes nos vergues de perroquet, et bientôt nous fûmes obligés de changer nos manoeuvres, et d'aller à mât et à cordes, jusqu'à ce que nous eussions été portés contre terre, ce qui devait nous perdre ou nous sauver; enfin cette terre, aussi désirée que crainte, se fît voir à nous, vers la pointe du jour, le lendemain. Si le vent, qui nous y jetait avec violence, ne se fût apaisé avec l'aurore, nous y brisions infailliblement. Il se calma, nous pûmes gouverner; mais notre vaisseau ayant vraisemblablement touché pendant l'orage, et faisant près de trois voies d'eau à l'heure, nous fumes contraints de nous diriger, à tout événement, vers l'île que nous apercevions, à dessein de nous y radouber.

Cette île nous paraissait charmante, quoique toute environnée de rochers, et dans notre horrible état, nous savourions au moins l'espoir flatteur de pouvoir réparer nos maux, dans une contrée si délicieuse.

J'envoyai la chaloupe et le lieutenant, pour reconnaître un ancrage, et sonder les dispositions des habitans; la chaloupe revint trois heures après, avec deux naturels du pays, qui demandèrent à me saluer, et qui le firent à l'européenne: je leur parlai tour-à-tour quelqu'une des langues de ce continent; mais ils ne me comprirent point. Je crus m'apercevoir cependant, qu'ils redoublaient d'attention, quand je me servais de la langue française, et que leurs oreilles étaient faites à en entendre les sons. Quoi qu'il en fût, leurs signes très-intelligibles, et qui n'avaient rien de sauvage, m'apprirent que leur chef ne demandait pas mieux que de nous recevoir, si nous arrivions avec des desseins de paix, et que dans ce cas, nous trouverions chez eux, tout ce qu'il fallait pour nous secourir. Les ayant assuré de mes intentions pacifiques, je leur offris quelques présens, ils les refusèrent avec noblesse, et nous avançâmes. Nous trouvâmes près de la côte, un bon mouillage par 12 ou 15 brasse, et joli sable rouge; on jeta l'ancre, et je reconnus avant que de descendre, que la terre où nous abordions, était située au-dessus du Tropique, entre le 260 et 263e degré de longitude, et entre le 25 et 26e degré de latitude méridionale, peu-éloignée d'une terre vue autrefois par Davis.

Un nombre infini d'insulaires des deux sexes, bordait la côte, quand nous arrivâmes; ils nous reçurent avec des signes de joie, qui ne pouvaient plus nous laisser douter de leurs sentimens. Quelques uns de nos matelots, séduits par ces apparences, voulurent cajoler les femmes; mais ils en furent à l'instant repoussés avec autant de décence, que de fierté, et nous continuâmes pacifiquement nos opérations, sans que cette première faute, assez commune aux Européens, nous fît rien perdre de la bienveillance de ces peuples. A peine eus-je pris terre, que deux habitans s'avancèrent vers moi avec les plus grandes démonstrations d'amitié, et me firent comprendre qu'ils étaient là pour me conduire chez leur chef, si je le trouvais bon. J'acceptai l'offre, je donnai les ordres nécessaires à mon équipage, je recommandai la plus grande discrétion, et n'emmenai avec moi que mes deux officiers. Après avoir observé à la hâte, de superbes fortifications européennes, qui défendaient le port, et auxquelles nous reviendrons bientôt, nous entrâmes, en suivant nos guides, dans une superbe avenue de palmiers, à quatre rangs d'arbres qui conduisait du port à la ville.

Cette ville, construite sur un plan régulier, nous offrit un coup-d'oeil charmant. Elle avait plus de deux lieues de circuit sa forme était exactement ronde; routes les rues en étaient alignées; mais chacune de ces rues était plutôt une promenade, qu'un passage.

Elles étaient bordées d'arbres, des deux côtés, des trottoirs régnaient le long des maisons, et le milieu était un sable doux, formant un marcher agréable. Toutes ces maisons étaient uniformes; il n'y en avait pas une qui fût, ni plus haute, ni plus grande que l'autre; chacune avait un rez-de-chaussée, un premier étage, une terrasse à l'italienne, au-dessus, et présentait de face une porte régulière d'entrée, au milieu de deux fenêtres, qui, chacune, avait au-dessus d'elle la croisée servant à donner du jour au premier étage. Toutes ces façades étaient régulièrement peintes par compartimens symétriques, en couleur de rose et en vert, ce qui donnait à chacune de ces rues, l'air d'une décoration. Après en avoir longé quelques-unes, qui nous parurent d'autant plus riantes, que les insulaires, garnissant en foule le devant de leurs maisons, pour nous voir, contribuaient encore au mouvement et à la diversité du spectacle. Nous arrivâmes sur une assez grande place d'une parfaite rondeur, et environnée d'arbres. Deux seuls bâtimens circulaires, remplissaient en entier cette place; ils étaient peints comme les maisons, et n'avaient de plus qu'elles, qu'un peu plus de grandeur et d'élévation. L'un de ces logis était le palais du chof; l'autre contenait deux emplacemens publics, dont je vous dirai bientôt l'usage.

Bien d'extraordinaire ne nous annonça la maison du chef; nous n'y vîmes aucuns de ces gardes insultans, qui, par leurs précautions et leurs armes, semblent dérober le tyran aux yeux de ses peuples, de peur que l'infortune ne puisse apporter à ses pieds, l'image des maux dont elle est victime. Cet homme respectable, venu pour nous recevoir lui-même à la porte de son palais, fut indifféremment abordé par tous ceux qui nous guidaient ou nous accompagnaient; tous s'empressaient de l'approcher; tous jouissaient en le voyant, et il fit des gestes d'amitié à tous.

Grand par ses seules vertus, respecté par sa seule sagesse, gardé par le seul coeur du peuple, je me crus transporté, en le voyant, dans ces temps heureux de l'âge d'or. Je crus voir enfin Sésos; tris au milieu de la ville de Thèbes.

Zamé, (c'était le nom de cet homme rare), pouvait avoir soixante-dix ans, à peine en paraissait-il cinquante; il était grand, d'une figure agréable, le port noble, le sourire gracieux, l'oeil vif, le front orné des plus beaux cheveux blancs, et réunissant enfin à l'agrément de l'âge mûr toute la majesté de la vieillesse.

Dès qu'il nous vit, il nous reconnut pour Européens, et sachant que le français est l'idiome commun de ce continent, il me demanda tout de suite dans cette langue, de quelle Nation j'étais?... De celle dont vous parlez la langue, dis-je en le saluant.—Je la connais, me répondit Zamé, j'ai habité trois ans votre Patrie, nous en raisonnerons ensemble.... Mais ceux qui vous suivent n'en paraissent pas.—Non, ils sont Hollandais.... Et il leur adressa aussi-tôt quelques paroles flatteuses dans leur langue.—Vous vous étonnez de rencontrer un sauvage aussi instruit, me dit-il ensuite. Venez, venez, suivez-moi, j'éclaircirai ce qui vous étonne, je vous raconterai mon histoire.

Nous entrâmes à sa suite dans le palais: les meubles en étaient simples et propres, plus à l'asiatique qu'à l'européenne, quoiqu'il y en eût quelques-uns totalement à l'usage de notre Nation. Six femmes, fort belles, en entouraient une d'environ 60 ans, et toutes se levèrent à notre arrivée.—Voilà ma femme, me dit Zamé en me présentant la plus vieille; ces trois-ci sont mes filles, ces trois autres sont nos amies; j'ai de plus deux garçons: s'ils vous savaient ici, ils y seraient déjà. Je suis certain que vous les aimerez; et Zamé s'apercevant de ma surprise à tant de candeur: je vous étonne, me dit-il, je le vois bien.... On vous a dit que j'étais le Chef de cette Nation, et vous êtes tout surpris qu'à l'exemple de vos Souverains d'Europe, je ne fasse pas consister ma grandeur dans la morgue et dans le silence; et savez-vous pourquoi je ne leur ressemble point, c'est qu'ils ne savent qu'être Roi, et que j'ai appris à être homme. Allons, mettez-vous à votre aise, nous jaserons, je vous instruirai de tout: commencez d'abord par dire vos besoins; que désirez-vous? Je suis pressé de le savoir, afin de donner des ordres pour qu'on y pourvoie sur-le-champ.

Attendri de tant de bontés, je ne cessais d'en marquer ma reconnaissance, quand Zamé se tournant vers sa femme, lui dit, toujours dans notre langue: je suis bien aise que vous voyiez un Européen; mais je suis fâché qu'il vous apprenne qu'une des modes de son pays soit de remercier le bienfaiteur, comme si ce n'était pas celui qui oblige qui dût rendre grâce à l'autre.

Alors, j'établis nos besoins.... Vous aurez tout cela, me dit Zamé, et même de bons ouvriers pour aider les vôtres; mais vous ne me parlez pas de provisions, vous devez en manquer: vous avez peut-être cru que je voulais vous les donner?... point du tout, je vous les vends.... Ou rien de tout ce que vous demandez, ou la certitude de passer quinze jours avec moi. Vous voyez bien que je suis plus indiscret que vous.

Toujours de plus en plus touché de cette franchise si rare dans un Souverain, je me prosternai à ses genoux.—Eh bien, eh bien! dit-il en me relevant.... Zoraï, continua-t-il en s'adressant à sa femme, voilà comme ils sont avec leurs chefs, ils les respectent au lieu de les aimer. Renvoyez vos gens à leur bord, me dit-il ensuite, ils y trouveront déjà une partie de ce qu'ils veulent; ils demanderont ce qui leur manque: s'ils aiment mieux loger dans la ville, ils le peuvent; mais vous et vos officiers, n'aurez point d'autre logement que ma maison; elle est commode et vaste: j'y ai quelquefois reçu des amis, je n'y ai jamais vu de courtisans.

Zamé donna ses ordres, je donnai les miens, je lui fis voir que la présence de mes officiers était nécessaire au vaisseau.—Eh bien! me dit-il, je ne garderai donc que vous; mais demain ils reviendront dîner avec moi.—Ils saluèrent et prirent congé.

Peu après, deux citoyens de la même espèce que ceux que nous avions vus dans la ville, habillés de même; (tous, à la couleur près, l'étaient également) vinrent avertir Zamé qu'il était servi: nous passâmes dans une grande pièce où le repas était préparé à l'européenne.—Voici la seule cérémonie que je ferai pour vous, me dit cet hôte aimable; vous ne mangeriez pas commodément comme nous, et j'ai ordonné qu'on plaçât des sièges; nous nous en servons quelquefois, cela ne nous gênera point, et sans attendre mes remercimens, il s'assit à côté de sa femme, me fit mettre près de lui, et les six jeunes filles remplirent les autres places.—Ces jolies personnes, me dit Zamé, en me montrant les trois amies de sa famille, vont vous faire croire que j'aime le sexe, vous ne vous tromperez pas, je l'aime beaucoup, non comme vous l'entendez peut-être: les loix de mon pays permettent le divorce, et cependant, continua-t-il en prenant la main de Zoraï, je n'ai jamais eu que cette bonne amie, et n'en aurai sûrement point d'autre. Mais je suis vieux, les jeunes femmes me font plaisir à voir, ce sexe a tant de qualités! mon ami, j'ai toujours cru que celui qui ne savait pas aimer les femmes, n'était pas fait pour commander aux hommes.

Oh l'excellent homme! s'écria madame de Blamont, je l'aime déjà passionnément. J'espère que vous n'eûtes pas peur à ce souper de manger de la chair humaine, comme chez votre vilain portugais.—Il s'en faut bien, madame, reprit Sainville, il n'y parut même aucune sorte de viande: tout le repas consistait en une douzaine de jattes d'une superbe porcelaine bleue du Japon, uniquement remplies de légumes, de confitures, de fruits et de pâtisserie.—Le plus mauvais petit prince d'Allemagne fait meilleure chère que moi, n'est-ce pas mon ami, me dit Zamé. Voulez-vous savoir pourquoi? C'est qu'il nourrit son orgueil beaucoup plus que son estomac, et qu'il imagine qu'il y a de la grandeur et de la magnificence à faire assommer vingt bêtes pour en substanter une. Ma vanité se place à des objets différens: être cher à ses concitoyens, être aimé de ceux qui l'entourent, faire le bien, empêcher le mal, rendre tout le monde heureux, voilà les seules choses, mon ami, qui doivent flatter la vanité de celui que le hasard met un moment au-dessus des autres. Ce n'est point par aucun principe religieux que nous nous abstenons de viande, c'est par régime, c'est par humanité: pourquoi sacrifier nos frères quand la nature nous donne autre chose? Peut-on croire, d'ailleurs, qu'il soit bon D'engloutir dans ses entrailles la chair et le sang putréfiés de mille animaux divers; il ne peut résulter de-là qu'un chile âcre, qui détériore nécessairement nos organes, qui les affaiblit, qui précipite les infimités et hâte la mort. Mais les comestibles que je vous offre n'ont aucuns de ces inconvéniens: les fumées que leur digestion renvoie au cerveau sont légères, et les fibres n'en sont jamais ébranlées. Vous boirez de l'eau, mon convive, regardez sa limpidité, savourez sa fraîcheur; vous n'imaginez pas les soins que j'emploie pour l'avoir bonne. Quelle liqueur peut valoir celle-là? En peut-il être de plus saine?.... Ne me demandez point à-présent pourquoi je suis frais malgré mon âge, je n'ai jamais abusé de mes forces; quoique j'aie beaucoup voyagé, j'ai toujours fui l'intempérance, et je n'ai jamais goûté de viande.... Vous allez me prendre pour un disciple de Crotone[29]; vous serez bien surpris, quand vous saurez que je ne suis rien de tout cela, et que je n'ai adopté dans ma vie qu'un principe, travailler à réunir autour de soi la plus grande somme de bonheur possible, en commençant par faire celui des autres. Je sens bien que je vous devrais encore des excuses sur la manière bourgeoise dont je vous reçois. Manger avec sa femme et ses enfans, ne pas soudoyer quatre mille coquins, afin d'avoir une table pour monsieur, une table pour madame.... C'est d'une petitesse! d'un mauvais ton! N'est-ce pas ainsi que l'on dirait en France? Vous voyez que j'en sais le langage. O mon ami! qu'il' est onéreux selon moi, qu'il est cruel pour une âme sensible ce luxe intolérable, qui n'est le fruit que du sang des peuples: croyez-vous que je dînerais, si j'imaginais que ces plats d'or dans lesquels je serais servi, fussent aux dépens de la félicité de mes concitoyens, et que les débiles enfans de ceux qui soutiendraient ce luxe n'auraient, pour conserver leurs tristes jours; que quelques morceaux de pain brun paitrie sein de la misère, délayé des larmes de la douleur et du désespoir.... Non, cette idée me ferait frémir, je ne le supporterais jamais. Ce que vous voyez aujourd'hui sur ma table, tous les habitans de cette isle peuvent l'avoir sur la leur, aussi, je le mange avec appétit. Eh bien! Mon cher Français, vous ne dites mot.—Grand homme, répondis-je dans le plus vif enthousiasme, je fais bien plus, j'admire et je jouis.—Écoutez, me dit Zamé, vous vous êtes servi là d'une expression qui me choque: laissons le mot de grandeur aux despotes qui n'exigent que du respect; la certitude où ils doivent être de ne pouvoir inspirer d'autres sentimens, fait qu'ils renoncent à tous ceux qu'ils sont dans l'impossibilité de faire naître, pour exiger ceux qui ne sont l'ouvrage que de l'or et du trône. Il n'y a aucun homme sur la terre qui soit plus grand que l'autre, eu égard à l'état où l'a créé la nature, que ceux qui ont la prétention de l'inégalité, l'obtiennent par des vertus. Les habitans de ce pays m'appellent leur père, et je veux que vous me nommiez votre ami: ne m'avez-vous pas dit que je vous avais rendu service?... Eh bien! j'ai donc des droits au titre d'ami que je vous demande, et je l'exige.

La conversation devint générale: les femmes, qui presque toutes parlaient français, s'en mêlèrent avec autant d'esprit que de grâces et de naïveté; j'avais déjà remarqué qu'elles étaient absolument vêtues de la même manière que celles de la ville, et ce costume était aussi simple qu'élégant; un juste très-serré leur dessine précisément la taille, qu'elles ont toutes extraordinairement grande et svelte; ensuite un voile, qui me parut d'une étoffe encore plus fine et plus déliée que nos gazes, et d'un jaune tendre, après s'être marié agréablement à leurs cheveux, retombe en molles ondulations autour de leurs hanches, et se perd dans un gros noeud sur la cuisse gauche. Tous les hommes étaient vêtus à l'asiatique, la tête couverte d'une espèce de turban léger d'une forme très-agréable, et de la même couleur que leur vêtement.

Le gris, le rose et vert sont les trois seules couleurs qu'ils adoptent pour leurs habits: la première est celle des vieillards, l'âge mûre emploie le vert, et l'autre est pour la jeunesse. L'étoile de leurs vêtemens est fine et moelleuse, elle est la même en toutes les saisons, attendu la douceur et l'égalité du climat; elle ressemble un peu à nos taffetas de Florence: celle des femmes est la même. Ces étoffes et celles de leurs voiles sont tissues dans leurs propres manufactures, de la troisième peau d'un arbre qu'ils me montrèrent, et qui ressemble au mûrier; Zamé me dit que cette espèce de plante était particulière à son isle.

Les deux citoyens qui avaient annoncé le souper, furent les seuls qui le servirent, tout se passa avec ordre, et fut fini en moins d'une heure. Mon hôte, me dit Zamé, en se levant, vous êtes fatigué, on va vous conduire dans votre chambre; demain nous nous lèverons de bonne heure, et nous jaserons, je vous expliquerai la forme du gouvernement de ce peuple, je vous convaincrai que celui que vous en croyez le souverain n'en est que le législateur et l'ami ... je vous apprendrai mon histoire, et j'aurai l'oeil, malgré cela, à ce que rien ne manque aux besoins que vous m'avez témoignés, ce n'est pas le tout que de parler de soi à ses amis, l'essentiel est de s'occuper d'eux. Je vous remets entre les mains d'un de ces fidèles serviteurs, continua-t-il, en parlant d'un des citoyens qui nous avaient servi, il va vous installer: vous trouvez tout ceci bien simple, n'est-ce pas? Ne fussiez-vous que chez un financier, vous auriez deux valets de-chambre dorés pour vous conduire: ici, vous n'aurez qu'un de mes amis, c'est le nom que je donne à mes domestiques; le mensonge, l'orgueil et l'égoïsme auraient seuls fait chez l'un les frais du cérémonial: celui que vous voyez ici n'est l'ouvrage que de mon coeur. Adieu.

L'appartement où je me retirai était simple, mais propre et commode comme tout ce que j'avais observé dans cette charmante maison: trois matelas remplis de feuilles de palmiers desséchées et préparées avec une sorte de moelleux qui les rendaient aussi douces que des plumes, composaient mon lit; ils étaient étendus sur des nattes à terre, un léger pavillon de cette même étoffe dont les femmes formaient leurs voiles, était agréablement attaché au mur, et l'on s'en entourait pour éviter la piqûre d'une petite mouche incommode dans une saison de ce pays. Je passai dans cette chambre une des meilleures nuits dont j'eusse encore joui depuis mes infortunes; je me croyais dans le temple de la vertu, et je déposais tranquille aux pieds de ses autels.

Le lendemain Zamé envoya savoir si j'étais éveillé, et comme on me vit debout, on me dit qu'il m'attendait; je le trouvai dans la même salle où j'avais été reçu la veille.

Jeune étranger, me dit-il, j'ai cru que vous sériez bien-aise de savoir quel est celui qui vous reçoit, que vous apprendriez avec plaisir pourquoi vous trouvez à l'extrémité de la terre un homme qui parle la même langue que vous, et qui paraît connaître votre Patrie. Asseyez-yous, et m'écoutez.

Fin de la troisième Partie.

ORNÉ DE SEIZE GRAVURES.

1795.

Nam veluti pueris absinthia tetra medentes,
Cum dare conantur prius oras pocula circum
Contingunt mellis dulci flavoque liquore,
Ut puerum aetas improvida ludificetur
Labrorum tenus; interea perpotet amarum
Absinthy lathicem deceptaque non capiatur,
Sed potius tali tacta recreata valescat.

Luc. Lib. 4.

SUITE DE LA LETTRE 35e.

Déterville à Valcour.

HISTOIRE DE ZAMÉ.

Sur la fin du règne de Louis XIV, dit Zamé, un vaisseau de guerre français voulant passer de la Chine en Amérique, découvrit cette isle, qu'aucun navigateur n'avait encore aperçue, et sur laquelle aucun n'a paru depuis; l'équipage y séjourna près d'un mois, abusa de l'état de faiblesse et d'innocence dans lequel il trouva ce malheureux peuple, et y commit beaucoup de désordre. Au moment du départ, un jeune Officier du vaisseau, devenu éperdument amoureux d'une femme de cette contrée, se cacha, laissa partir ses compatriotes, et dès qu'il les crut éloignés, assemblant les chefs de la nation, il leur déclara par le moyen de la femme qu'il aimait, et avec laquelle il était venu à bout de s'entendre, qu'il n'était resté dans l'île que par l'excessif attachement qu'un si bon peuple lui avait inspiré; qu'il voulait le garantir des malheurs que lui présageait la découverte que sa nation venait d'en faire, puis montrant aux chefs réunis un canton de cette île où nous sommes assez malheureux pour avoir une mine d'or: «Mes amis, leur dit-il, voilà ce qui irrite la soif des gens de ma patrie, ce vil métal, dont vous ignorez l'usage, que vous foulez aux pieds sans y prendre garde, est le plus cher objet de leurs désirs; pour l'arracher des entrailles de votre terre, ils reviendront en force, ils vous subjugueront, ils vous enchaîneront, ils vous extermineront, et ce qui sera pis peut-être, ils vous reléegueront, comme ils font chaque jour, eux et leurs voisins (les Espagnols), dans un continent à quelques cents lieues de vous, dont vous ne connaissez pas la situation, et qui abonde également en ces sortes de richesses. J'ai cru pouvoir vous sauver de leur rapacité en demeurant parmi vous, connaissant leur manière de s'emparer d'une île, je pourrai la prévenir; sachant comme ils viendront vous combattre, je pourrai vous enseigner à vous défendre, peut-être enfin vous ravirai-je à leur cupidité: fournissez-moi les moyens d'agir, et pour unique récompense accordez-moi celle que j'aime.»

Il n'y eut qu'une voix: sa maîtresse lui fut accordée, et on lui donna dès l'instant tous les secours qu'il pouvait exiger pour exécuter ce qu'il annonçait.

Il parcourut l'île, et la trouvant d'une forme ronde, ayant environ cinquante lieues de circonférence, entièrement environnée de rochers, excepté par le seul côté où vous êtes venu, il ne la jugea que dans cette partie susceptible des défenses de l'art; peut-être n'avez-vous pas observé la manière dont il a rendu ce port inabordable, nous irons le visiter tantôt, et je vous convaincrai sur les lieux même, que si nous n'avions jugé votre faiblesse et votre embarras pour seules causes de votre arrivée dans notre île; vous n'y seriez pas venu avec tant de facilité. Cette partie, la seule par laquelle on puisse parvenir à Tamoé, fut donc fortifiée par lui à l'européenne; il, y ménagea des batteries qui n'ont pu être perfectionnées et remplies que par moi; il leva une milice, établit une garnison dans un fort construit à l'entrée de la baye, et plut tellement à la nation enfin, par la sagesse de ses soins et la supériorité de ses vues, que son beau-père, un de nos principaux chefs, étant mort, il fut unanimement élu souverain de l'île: de ce moment il en changea la constitution; il fit sentir que la perfection de son entreprise exigeait que le gouvernement fût héréditaire, afin qu'inculquant ses desseins à celui qui lui succéderait, cet héritier pût être à portée de les suivre et de les améliorer. On y consentit.... Telle fut l'époque où je vis le jour; je suis le fruit de l'hymen de cet homme si cher à la nation, ce fut à moi qu'il confia ses vues, et c'est moi qui suis assez heureux pour les avoir remplies.

Je ne vous parlerez point de son administration; il ne put que commencer ce que j'ai fini; en vous détaillant mes opérations, vous connaîtrez les siennes: revenons à ce qui les précéda.

Dès que j'eus atteint l'âge de 15 ans, mon père en passa 5 à m'apprendre l'histoire, la géographie, les mathématiques, l'astronomie, le dessein, et l'art de la navigation; puis m'ayant conduit sur le terrain de la mine dont il craignait que les richesses n'attirassent ses compatriotes: tirons de ceci, me dit-il, ce qu'il faut pour vous faire voyager avec autant de magnificence que d'utilité: on ne peut malheureusement sortir d'ici, saris que ce métal ne devienne nécessaire; mais continuez à le laisser dans le mépris aux yeux de cette nation simple et heureuse, qui ne le connaîtrait qu'en se dégradant. Qu'elle ne cesse d'être persuadé que l'or n'ayant qu'une valeur fictive, il devient nul aux yeux d'un peuple assez sage pour n'avoir pas admis cette extravagance. Ayant ensuite fait remplir quelques coffres de ce métal, il fit couvrir et cultiver l'endroit dont il l'avait tiré, afin d'en faire oublier jusqu'à la trace; et m'ayant fait embarquer sur un grand bâtiment qu'il avait fait construire d'après ces desseins, dans la seule vue de ce voyage; il m'embrassa, et me dit les larmes aux yeux: «O toi que je ne reverrai peut-être jamais, toi que je sacrifie au bonheur de la nation qui m'adopte, va connaître l'univers, mon fils, va prendre chez tous les peuples de la terre ce qui te paraîtra le plus avantageux à la félicité du tien. Fais comme l'abeille, voltige sur toutes les fleurs, et ne rapporte chez toi que le miel; tu vas trouver parmi les hommes beaucoup de folie avec un peu de sagesse, quelques bons principes mêlés à d'affreuses absurdités.... Instruis-toi, apprends à connaître tes semblables avant d'oser le gouverner.... Que la pourpre des rois ne t'éblouisse point, démêle les sous la pompe où se dérobent leur médiocrité, leur despotisme et leur indolence. Mon ami, j'ai toujours détesté les rois, et ce n'est pas un trône, que je te destine, je veux que tu sois le père, l'ami de la nation qui nous adopte; je veux que tu sois son législateur, son guide, ce sont des vertus qu'il lui faut donner, en un mot, et non pas des fers. Méprise souverainement ces tyrans, que l'Europe va dévoiler à les regards, tu les verras par-tout entourés d'esclaves, qui leur déguisent la vérité, par ce que ces favoris auraient trop à perdre en la leur montrant; ce qui fait que les rois ne l'aiment point, c'est qu'ils se mettent presque toujours dans le cas de la craindre: le seul moyen de ne la pas redouter est d'être vertueux; celui qui marche à découvert, celui dont la conscience est pure, ne craint pas qu'on lui parle vrai; mais celui dont le coeur est souillé, celui qui n'écoute que ses passions, aime l'erreur et la flatterie, parce qu'elle lui cachent les maux qu'il fait, parce qu'elles allègent le joug dont il accable, et qu'elles lui montrent toujours ses sujets dans la joie, quand ils sont noyés dans les larmes. En démêlant la cause qui engage les courtisans à la flatterie, qui les contraints à jeter un voile épais sur les yeux de leur maître, tu dévoileras les vices du gouvernement; étudie-les pour les éviter; l'obligation défaire la félicité de son peuple est si essentielle, il est si doux d'y parvenir, si affreux d'échouer, qu'un législateur ne doit avoir d'instans heureux dans la vie, que ceux où ses efforts réussissent.

La diversité des cultes va te surprendre; par-tout tu verras l'homme infatué du sien, s'imaginer que celui-là seul est le bon, que celui-là seul lui vient d'un Dieu qui n'en a jamais dit plus à l'un qu'à l'autre; en les examinant philosophiquement tous, songe que le culte n'est utile à l'homme, qu'autant qu'il prête des forces à la morale, qu'autant qu'il peut devenir un frein à la perversité; il faut pour cela qu'il soit pur et simple: s'il n'offre à tes yeux que de vaines cérémonies, que de monstrueux dogme, et que d'imbéciles mystères, fuis ce culte, il est faux, il est dangereux, il ne serait dans ta nation qu'une source intarissable de meurtres et de crimes, et tu deviendrais aussi coupable en l'apportant dans ce petit coin du monde, que le furent les vils imposteurs qui le répandirent sur sa surface. Fuis-le, mon fils, déteste-le ce culte, il n'est l'ouvrage que de la fourberie des uns et de la stupidité des autres, il ne rendrait pas ce peuple meilleur. Mais s'il s'en présente un à tes yeux, qui, simple dans sa doctrine, qui, vertueux dans sa morale, méprisant tout faste, rejetant toutes fables puériles, n'ait pour objet que l'adoration d'un seul Dieu, saisis celui-là, c'est le bon; ce ne sont point par des singeries révérées là, méprisées ici, que l'on peut plaire à l'Éternel, c'est par la pureté de nos coeurs, c'est par la bienfaisance.... S'il est vrai qu'il y ait un Dieu, voilà les vertus qui le forment, voilà les seules que l'homme doive imiter. Tu t'étonneras de même de la diversité des loix: en les examinant toutes avec l'égale attention que je viens d'exiger de toi pour les cultes, songe que la seule utilité des loix est de rendre l'homme heureux; regarde comme faux et atroce tout ce qui s'écarte de ce principe.

La vie de l'homme est trop courte pour arriver seul au but que je me proposais; je n'ai pu que te préparer la voie, c'est à toi d'achever la carrière; laisse nos principes à tes enfans, et deux ou trois générations vont placer ce bon peuple au comble de la félicité.... Pars.

Il dit: me renouvela ses embrassemens ... et les flots m'emportèrent. Je parcourus le monde entier; je fus vingt ans absent de ma patrie; et je ne les employai qu'à connaître les hommes; me mêlant avec eux sous toutes sortes de déguisemens, tantôt comme le fameux Empereur de Russie, compagnon de l'artiste et de l'agriculteur, j'apprenais avec l'un à construire un vaisseau, à conserver des traits chéris sur la toile, à modeler la pierre ou le marbre, à édifier un palais, à diriger des manufactures; avec l'autre, la saison de semer les grains, la connaissance des terres qui leur sont propres, la manière de cultiver les plantes, de greffer, de tailler les arbres, de diriger les jeunes plants, de les fortifier; de moissonner le grain, de l'employer à la nourriture de l'homme.... M'élevant au-dessus de ces états, le poëte embellissait mes idées, il leur donnait de la vigueur et du coloris, il m'enseignait l'art de les peindre; l'historien, celui de transmettre les faits à la postérité, de faire connaître les moeurs de toutes les nations; je m'instruisais avec le ministre des autels dans la science inintelligible des dieux; le suppôt des loix me conduisait à celle plus chimérique encore, d'enchaîner l'homme pour le rendre meilleur; le financier me dirigeait dans la levée des impôts, il me développait le système atroce de n'engraisser que soi de la substance du malheureux, et de réduire le peuple à la misère, sans rendre l'état plus florissant; le commerçant, bien plus cher à l'état, m'apprenait à équivaloir les productions les plus éloignées aux monnaies fictives de la nation, à les échanger, à se lier par le fil indestructible de correspondance à tous les peuples du monde, à devenir le frère et l'ami du chrétien comme de l'Arabe, de l'adorateur de Foé, comme du sectateur d'Ali, à doubler ses fonds en se rendant utile à ses compatriotes, à se trouver, en un mot, soi et les siens, riches de tous les dons de l'art et de la nature, resplendissant du luxe de tous les habitans de la terre, heureux de toutes leurs félicités, sans avoir quitté ses lambris. Le négociateur, plus souple, m'initiait dans les intérêts des princes; son oeil perçant le voile épais des siècles futurs, il calculait, il appréciait avec moi les révolutions de tous les empires, d'après leur état actuel, d'après leurs moeurs et leurs opinions, mais en m'ouvrant le cabinet des princes, il arrachait des larmes de mes yeux, il me montrait dans tous, l'orgueil et l'intérêt immolant le peuple aux pieds des autels de la fortune, et le trône de ces ambitieux élevé par-tout sur des fleuves de sang. L'homme de cour, enfin, plus léger et plus faux, m'apprenait à tromper les rois, et les rois seuls ne m'apprenaient qu'à me désespérer d'être né pour le devenir.

Par-tout je vis beaucoup de vices et peu de vertus; par-tout je vis la vanité, l'envie, l'avarice et l'intempérance asservir le faible aux caprices de l'homme puissant; par-tout je pus réduire l'homme en deux classes, toutes deux également à plaindre: dans l'une, le riche esclave de ses plaisirs; dans l'autre, l'infortuné, victime du sort; et je n'aperçus jamais ni dans l'une, l'envie d'être meilleure, ni dans l'autre, la possibilité de le devenir, comme si toutes deux n'eussent travaillé qu'à leur malheur commun, n'eussent cherché qu'à multiplier leurs entraves: je vis toujours la plus opulente augmenter ses fers en doublant ses désirs; et la plus pauvre, insultée, méprisée par l'autre, n'en pas même recevoir l'encouragement nécessaire à soutenir le poids du fardeau: je réclamai l'égalité, on me la soutint chimérique; je m'aperçus bientôt que ceux qui la rejetaient n'étaient que ceux qui devaient y perdre, de ce moment je la crus possible ... que dis-je! de ce moment je la crus seule faite pour la félicité d'un peuple[1]; tous les hommes sortent égaux des mains de la nature, l'opinion qui les distingue est fausse; par-tout où ils seront égaux, ils peuvent être heureux; il est impossible qu'ils le soient ou les différences existeront. Ces différences ne peuvent rendre, au plus, qu'une partie de la nation heureuse, et le législateur doit travailler à ce qu'elles le soient toutes également. Ne m'objectez point les difficultés de rapprocher les distances, il ne s'agit que de détruire les opinions et d'égaliser les fortunes, or cette opération est moins difficile que l'établissement d'un impôt.

A la vérité, j'avais moins de peine qu'un autre, j'opérais sur une nation encore trop près de l'état de nature, pour s'être corrompue par ce faux système des différences; je dus donc réussir plus facilement.

Le projet de l'égalité admis, j'étudiai la seconde cause des malheurs de l'homme, je la trouvai dans ses passions, perpétuellement entr'elles et des loix, tour-à-tour victime des unes ou des autres, je me convainquis que la seule manière de le rendre moins malheureux, dans cette partie, était qu'il eût et moins de passions et moins de loix. Autre opération plus aisée qu'on ne se l'imagine: en supprimant le luxe, en introduisant l'égalité, j'anéantissais déjà l'orgueil, la cupidité, l'avarice et l'ambition. De quoi s'enorgueillir quand tout est égal, si ce n'est de ses talens ou de ses vertus; que désirer, quelles richesses enfouir, quel rang ambitionner, quand toutes les fortunes se ressemblent, et que chacun possède au-delà de ce qui doit satisfaire ses besoins? Les besoins de l'homme sont égaux: Appicius[2] n'avait pas un estomac plus vaste que Diogène, il fallait pourtant vingt cuisiniers à l'un, tandis que l'autre dînait d'une noix: tous les deux mis au même rang, Diogène n'eût pas perdu, puisqu'il aurait en plus que les choses simples, dont il se contentait, et Appicius, qui n'aurait eu que le nécessaire, n'eût souffert que dans l'imagination: Si vous voulez vivre suivant la nature, disait Épicure, vous ne serez jamais pauvre; si vous voulez vivre suivant l'opinion, vous ne serez jamais riche: la nature demanda peu, l'opinion demande beaucoup.

Dès mes premières opérations, me dis-je, j'aurai donc des vices de moins; or, la multiplicité des loix devient inutile quand les vices diminuent: ce sont les crimes qui ont nécessité les loix; diminuez la somme des crimes, convenez que telle chose que vous regardiez comme criminelle, n'est plus que simple, voilà la loi devenue inutile; or, combien de fantaisies, de misères, n'entraînent aucune lézion envers la société, et qui, justement appréciées par un législateur philosophe, pourraient ne plus être regardées comme dangereuses, et encore moins comme criminelles. Supprimez encore les loix que les tyrans n'ont faites que pour prouver leur autorité et pour mieux enchaîner les hommes à leurs caprices; vous trouverez, tout cela fait, la masse des freins réduire à-bien peu de choses, et par conséquent l'homme qui souffre du poids de cette masse, infiniment soulagé. Le grand art serait de combiner le crime avec la loi, de faire en sorte que le crime quelqu'il fût, n'offensât que médiocrement la loi, et que la loi, moins rigide, ne s'appesantit que sur fort peu de crimes, et voilà encore ce qui n'est pas difficile, et où j'imagine avoir réussi: nous y reviendrons.

En établissant le divorce, je détruisais presque tous ces vices de l'intempérance; il n'en resterait plus aucun de cette espèce, si j'eusse voulu tolérer l'inceste comme chez les Brames, et la pédérastie comme au Japon; mais je crus y voir de l'inconvénient; non que ces actions en aient réellement par elles-mêmes, non que les alliances au sein des familles n'aient une infinité de bons résultats, et que la pédérastie ait d'autre danger que de diminuer la population, tort d'une bien légère importance, quand il est manifestement démontré que le véritable bonheur d'un état consiste moins dans une trop grande population, que dans sa parfaite relation entre son peuple et ses moyens[3]; si je crus donc ces vices nuisibles, ce ne fut que relativement à mon plan d'administration, parce que le premier détruisait l'égalité, que je voulais établir, en agrandissant et isolant trop les familles; et que le second, formant une classe d'hommes séparée, qui se suffisait à elle-même, dérangeait nécessairement l'équilibre qu'il m'était essentiel d'établir. Mais comme j'avais envie d'anéantir ces écarts, je me gardai bien de les punir; les autoda-fé de Madrid, les gibets de la Grève m'avaient suffisamment appris que la véritable façon de propager l'erreur, était de lui dresser des échafauds; je me servis de l'opinion, vous le savez, c'est la reine du monde; je semai du dégoût sur le premier de ces vices, je couvris le second de ridicules, vingt ans les ont anéantis, je les perpétuais si je me fusse servi de prisons ou de bourreaux.

Une foule de nouveaux crimes naissaient au sein de la religion, je le savais; quand j'avais parcouru la France, je l'avais trouvée toute fumante des bûchers de Merindol et de Cabrières: on distinguait les potences d'Amboise; on entendait encore dans la capitale l'affreuse cloche la Saint-Barthélemi; l'Irlande ruisselait du sang des meurtres ordonnés pour des points de doctrine; il ne s'agissait en Angleterre que des horribles dissensions des puritains et des non-conformistes. Les malheureux pères de votre religion (les Juifs) se brûlaient en Espagne en récitant les mêmes prières que ceux qui les déchiquetaient; on ne me parlait en Italie que des croisades d'Innocent VI, passé-je en Ecosse, en Bohême, en Allemagne, on ne me montrait chaque jour que des champs de bataille où des hommes avaient charitablement égorgé leurs frères pour leur apprendre à adorer Dieu[4]. Juste ciel! m'écriai-je, sont-ce donc les furies de l'enfer que ces frénétiques servent? quelle main barbare les pousse à s'égorger ainsi pour des opinions? est-ce une religion sainte que celle qui ne s'étaie que sur des monceaux de morts, que celle qui ne stigmatise ses cathécumènes qu'avec le sang des hommes! Eh que t'importe, Dieu juste et saint, que t'importe nos systèmes et nos opinions! Que fait à ta grandeur la manière dont l'homme t'invoque, c'est que tu veux, c'est qu'il soit juste; ce qui te plaît, c'est qu'il soit humain:tu n'exiges ni génuflexions, ni cérémonies; tu n'as besoins ni de dogmes, ni de mystères; tu ne veux que l'effusion des coeurs, tu n'attends de nous que reconnaissance et qu'amour.

Dépouillons ce culte, me dis je alors, de tout ce qui peut être matière à discussion, que sa simplicité soit telle, qu'aucune secte n'en puisse naître; je vous ferai voir ce bon peuple adorant Dieu, et vous jugerez s'il est possible qu'il se partage jamais sur la façon de le servir. Nous croyons l'Éternel assez grand, assez bon pour nous entendre sans qu'il soit besoin de médiateur; comme nous ne lui offrons de sacrifices que ceux de nos âmes, comme nous n'avons aucune cérémonie, comme c'est à Dieu seul que nous demandons le pardon de nos fautes, et des secours pour les éviter; que c'est à lui seul que nous avouons mentalement celles qui troublent notre conscience, les prêtres nous sont devenus superflus, et nous n'avons plus redouté, en les bannissant à jamais, de voir massacrer nos frères pour l'orgueil ou l'absurdité d'une espèce d'individus inutile à l'État, à la nature, et toujours funeste à la société.

Oui, dis-je, je donnerai des lois simples à cet excellent peuple, mais la peine de mort en punira-t-elle l'infracteur? A Dieu ne te plaise. Le souverain être peut disposer lui seul de la vie des hommes? je me croirais criminel moi-même à l'instant où j'oserais usurper ces droits. Accoutumés à vous forger un Dieu barbare et sanguinaire, vous autres Européens, accoutumés à supposer un lieu de tourmens, où vont tous ceux que Dieu condamne, vous avez cru imiter sa justice, en inventant de même des macérations et des meurtres; et vous n'avez pas senti que vous n'établissiez cette nécessité du plus grand des crimes, (la destruction de son semblable) que vous ne l'établissiez, dis-je, que sur une chimère née de vos seules imaginations. Mon ami, continua cet honnête homme, en me serrant les mains, l'idée que le mal peut jamais amener le bien, est un des vertiges le plus effrayant de la tête des sots. L'homme est faible, il a été crée tel par la main de Dieu; ce n'est, ni à moi de sonder, sur cela, les raisons de la puissance suprême, ni à moi, d'oser punir l'homme d'être ce qu'il faut nécessairement qu'il soit. Je dois mettre tous les moyens en usage pour tâcher de le rendre aussi bon qu'il peut l'être, aucuns pour le punir de n'être pas comme il faudrait qu'il fût. Je dois l'éclairer, tout homme a ce droit avec ses semblables; mais il n'appartient à personne de vouloir régler les actions des autres. Le bonheur du peuple est le premier devoir que m'impose la volonté de l'Éternel, et je n'y travaille pas en l'égorgeant. Je veux bien donner mon sang pour épargner le sien, mais je ne veux pas qu'il en perde une goûte pour ses faiblesses ou pour mes intérêts. Si on l'attaque, il se défendra, et si son sang coule alors, ce sera pour la seule défense de ses foyers et non pour mon ambition. La nature l'afflige déjà d'assez de maux, sans que j'en accumule que je n'ai nuls droits de lui imposer. J'ai reçu de ces honnêtes citoyens, le pouvoir de leur être utile, je n'ai pas eu celui de les affliger. Je serai leur soutien et non pas leur persécuteur; je serai leur père, et non pas leur bourreau, et ces hommes de sang qui prétendent au triste bonheur de massacrer leurs semblables, ces vautours altérés de carnage, que je compare à des cannibales, je ne les souffrirai pas dans cette isle, parce qu'ils y nuisent au lieu d'y servir, parce qu'à chaque feuille de l'histoire des peuples qui les souffrent, je vois ces hommes atroces, ou troubler les projets sages d'un législateur, ou refuser de s'unir à la nation quand il est question de sa gloire; enchaîner cette même nation si elle est faible, l'abandonner si elle a de l'énergie, et que de tels monstres, dans un État, ne sont que fort dangereux.

Ces projets admis, je m'occupai du commerce; celui de vos colonies m'effraya. Quelle nécessité, me dis-je, de chercher des établissemens si éloignés? Notre véritable bonheur, dit un de vos bons écrivains, exige-t-il la jouissance des choses que nous allons chercher si loin? Sommes-nous destinés à conserver éternellement des goûts factices? Le sucre, le tabac, les épices, le café, etc. valent-ils les hommes que vous sacrifiez pour ces misères?

Le commerce étranger, selon moi, n'est utile qu'autant qu'une nation a trop ou trop peu. Si elle a trop, elle peut échanger son superflu contre des objets d'agrément ou de frivolité; le luxe peut se permettre à l'opulence: et si elle n'a pas assez, il est tout simple qu'elle aille chercher ce qu'il lui faut. Mais vous n'êtes dans aucuns de ces cas en France; vous avez fort peu de superflu et rien ne vous manque. Vous êtes dans la juste position qui doit rendre un peuple heureux de ce qu'il a, riche de son sol, sans avoir besoin ni d'acquérir pour être bien, ni d'échanger pour être mieux. Ce pays abondant ne vous procure-t-il pas au-delà de vos besoins, sans que vous soyez obligés ou d'établir des colonies, ou d'envoyer des vaisseaux dans les trois parties du monde pour ajouter à votre bien-être? Plus avantageusement situé qu'aucun autre empire de l'Europe, vous auriez avec un peu de soin les productions de toute la terre. Le midi de la Provence, la Corse, le voisinage de l'Espagne, vous donneraient aisément du sucre, du tabac et du café. Voilà dans la classe du superflu ce qu'on peut regarder comme le moins inutile; et quand vous vous passeriez d'épices, cette privation où gagnerait votre santé, pourrait-elle vous donner des regrets? N'avez-vous pas chez vous tout ce qui peut servir à l'aisance du citoyen, même au luxe de l'homme riche? Vos draps sont aussi beaux que ceux d'Angleterre: Abbeville fournissait autrefois Rome la plus magnifique des villes du monde; vos toiles peintes sont superbes, vos étoffes de soye plus moelleuses qu'aucune de celles de l'Europe; relativement aux meubles de fantaisie, aux ouvrages de goût, c'est vous qui en envoyez à toute la terre. Vos Gobelins l'emportent sur Bruxelles, vos vins se boivent par-tout et ont l'avantage précieux de s'améliorer dans le passage. Vos bleds sont si abondans que vous êtes souvent obligés d'en exporter[5]; vos huiles ont plus de finesse que celles d'Italie, vos fruits sont savoureux et sains, peut-être avec des soins auriez-vous ceux de l'Amérique; vos bois de chauffage et de construction seront toujours en abondance quand vous saurez les entretenir. Qu'avez-vous donc besoin du commerce étranger? Obligez les nations étrangères à venir chercher dans vos ports le superflu que vous pouvez avoir, n'ayez d'autre peine que de recevoir ou leur l'argent ou quelques bagatelles de fantaisie en retour de ce superflu, mais n'équipez plus de vaisseaux pour l'aller chercher, ne risquez plus sur cet élément dangereux, un demi tiers de la nation qui expose ses jours pour satisfaire aux caprices du reste, fatal arrangement qui vous donne des remords quand vous voyez que vous n'obtenez vos jouissances qu'aux dépends de la vie de vos semblables, pardon, mon ami, mais cette considération à laquelle je vois qu'on ne pense jamais assez, entre toujours dans mes calculs. On vous apportera tout pour obtenir de vous ce que vous pouvez donner en retour, mais n'ayez point de colonies, elles sont inutiles, elles sont ruineuses et souvent d'un danger bien grand. Il est impossible de tenir dans une exacte subordination des enfans si loin de leur mère. Ici je pris la liberté d'interrompre Zamé pour lui apprendre l'histoire des colonies anglaises.—Ce que vous me dites, reprit-il, je l'avais prévu, il en arrivera autant aux espagnols, ou ce qui est plus vraisemblable encore, la république de Waginston s'accroîtra peu à peu comme celle de Romulus, elle subjuguera d'abord l'Amérique, et puis fera trembler la terre. Excepté vous, Français, qui finirez par secouer le joug du despotisme, et par devenir républicains à votre tour, parce que ce gouvernement est le seul qui convienne à une nation aussi franche, aussi remplie d'énergie et de fierté que la vôtre.[6]

Quoi qu'il en soit, je le répète, une nation assez heureuse pour avoir tout ce qu'il lui faut chez elle, doit consommer ce qu'elle a, et ne permettre l'exportation du superflu qu'aux conditions qu'on vienne le chercher. En parcourant, un de ces jours, cette isle fortunée, nous pourrons revenir sur cet objet, reprenons le fil de ce qui me regarde.

La résolution que je formai après l'étude de cette partie, fut donc de rapporter dans mon isle, pour ajouter à ses productions naturelles, une grande quantité de plantes européennes, dont l'usage me parut agréable; de m'instruire dans l'art de diriger des manufactures, afin d'en établir ici de relatives aux plantes que nous pourrions employer; de retrancher tout objet de luxe, de jouir de nos productions améliorées ou augmentées par nos soins, et de rompre entièrement tout fil de commerce, excepté celui qui se fait intérieurement par le seul moyen des échanges. Nous avons peu de voisins, deux ou trois isles au Sud, encore dans l'incivilisation et dont les habitans viennent nous voir quelquefois; nous leur donnons ce que nous avons de trop sans jamais rien recevoir d'eux ... ils n'ont rien de plus merveilleux que nous. Un commerce autrement établi, ne tarderait pas à nous attirer la guerre; ils ne connaissent pas nos forces; nous les écraserions, et l'épargne du sang est la première règle de toutes mes démarches. Nous vivons donc en paix avec ces isles voisines; je suis assez heureux pour leur avoir fait chérir notre gouvernement: elles s'uniraient infailliblement à nous si nous avions besoin de secours; mais elles nous seraient inutiles; attaquées par l'ennemi, tous nos citoyens alors deviendraient soldats: il n'en est pas un seul qui ne préférât la mort à l'idée de changer de gouvernement: voilà encore un des fruits de ma politique; c'est en me faisant aimer d'eux que je les ai rendu militaires; c'est en leur composant un sort doux, une vie heureuse, c'est en faisant fleurir l'agriculture, c'est en les mettant dans l'abondance de tout ce qu'ils peuvent désirer, que je les ai liés par des noeuds indissolubles; en s'opposant aux usurpateurs, ce sont leurs foyers qu'ils garantissent, leurs femmes, leurs enfans, le bonheur unique de leur vie; et on se bat bien pour ces choses là. Si j'ai jamais besoin de cette milice, un seul mot fera ma harangue: mes enfans, leur dirai-je, voilà vos maisons, voilà vos biens et voilà ceux qui viennent vous les ravir, marchons. Vos souverains d'Europe ont-ils de tels intérêts à offrir à leurs mercenaires qui, sans savoir la cause qui les meut, vont stupidement verser leur sang pour une discussion qui non seulement leur est indifférente, mais dont ils ne se doutent même pas. Ayez chez vous une bonne et solide administration; ne variez pas ceux qui la dirigent au plus petit caprice de vos souverains ou à la plus légère fantaisie de leurs maîtresses; un homme qui s'est instruit dans l'art de gouverner, un homme qui a le secret de la machine, doit être considéré et retenu; il est imprudent de confier ce secret à tant de citoyens à la fois; qu'arrive-t-il d'ailleurs quand ils sont sûrs de n'être élevés qu'un instant? Ils ne s'occupent que de leurs intérêts et négligent entièrement les vôtres. Fortifiez vos frontières, rendez-vous respectables à vos voisins. Renoncez à l'esprit de conquêtes, et n'ayant jamais d'ennemis, ne devant vous occuper qu'à garantir vos limites, vous n'aurez pas besoin de soudoyer une si grande quantité d'hommes en tout tems; vous rendrez, en les reformant, cent mille bras à la charrue, bien mieux placés qu'à porter un fusil qui ne sert pas quatre fois par siècle et qui ne servirait pas une, par le plan que j'indique. Vous n'enlèverez plus alors au père de famille des enfans qui lui sont nécessaires, vous n'introduirez pas l'esprit de licence et de débauche parmi l'élite de vos citoyens,[7] et tout cela pour le luxe imbécile d'avoir toujours une armée formidable. Rien de si plaisant que d'entendre vos écrivains parler tous les jours de population, tandis qu'il n'est pas une seule opération de votre gouvernement qui ne prouve qu'elle est trop nombreuse, et si elle ne l'était pas beaucoup trop, enchaînerait-il d'un coté, par les noeuds du célibat, tous ces militaires pris sur la fleur de la nation même, et ne rendrait-il pas de l'autre la liberté à cette multitude de prêtres et de religieuses également liés par les chaînes absurdes de l'abstinence. Puisque tout va, puisqu'il y a encore du trop, malgré ces digues puissantes offertes à la population, puisqu'elle est encore trop forte; malgré tout cela, il est donc ridicule de se récrier toujours sur le même objet: me trompé-je? Voulez-vous qu'elle soit plus nombreuse, est-il essentiel qu'elle le soit? A la bonne heure, mais n'allez pas chercher pour l'accroître, les petits moyens que vous alléguez. Ouvrez vos cloîtres, n'ayez plus de milice inutile, et vos sujets quadrupleront.

Je passais un jour à Paris sur cette arène de Thémis, où les prestolets de son temple, le frac élégant sous le cotillon noir, condamnent si légèrement à la mort, en venant de souper chez leurs catins, des infortunés qui valent quelquefois mieux qu'eux. On allait y donner un spectacle à ces bouchers de chair humaine.... Quel crime a commis ce malheureux, demandai-je? Il est pédéraste, me répondit-on; vous voyez bien que c'est un crime affreux, il arrête la population, il la gêne, il la détruit ... ce coquin mérite donc d'être détruit lui-même.—Bien raisonné, répondis-je à mon philosophe, Monsieur me paraît un génie.... Et suivant une foule qui s'introduisait non loin de là, dans un monastère, je vis une pauvre fille de 16 ou 17 ans, fraîche et belle, qui venait de renoncer au monde, et de jurer de s'ensevelir vive dans la solitude où elle était.... Ami, dis-je à mon voisin, que fait cette fille?—C'est une Sainte, me répondit-on, elle renonce au monde, elle va enterrer dans le fond d'un cloître le germe de vingt enfants dont elle aurait fait jouir l'État.—Quel sacrifice!—Oh! oui, Monsieur, c'est un ange, sa place est marquée dans le Ciel.—Insensé, dis-je à mon homme, ne pouvant tenir à cette inconséquence, tu brûles là un malheureux dont tu dis que le tort est d'arrêter la propagation, et tu couronnes ici une fille qui va commettre le même crime; accorde-toi, Français, accorde-toi, ou ne trouve pas mauvais qu'un étranger raisonnable qui voyage dans ta Nation, ne la prenne souvent pour le centre de la folie ou de l'absurdité.

Je n'ai qu'un ennemi à craindre, poursuivit Zamé, c'est l'Européen inconstant, vagabond, renonçant à ses jouissances pour aller troubler celles des autres, supposant ailleurs des richesses plus précieuses que les siennes, désirant sans cesse un gouvernement meilleur, parce qu'on ne sait pas lui rendre le sien doux; turbulent, féroce, inquiet, né pour le malheur du reste de la terre, catéchisant l'Asiatique, enchaînant l'Africain, exterminant le Citoyen du nouveau monde, et cherchant encore dans le milieu des mers de malheureuses isles à subjuguer; oui, voilà le seul ennemi que je craigne, le seul contre lequel je me battrai, s'il vient; le seul, ou qui nous détruira, ou qui n'abordera jamais dans cette isle; il ne le peut que d'un côté; je vous l'ai dit, ce côté est fortifié de la plus sûre manière: vous y verrez les batteries que j'ai fait établir; l'accomplissement de cet objet fut le dernier soin de mon voyage, et le dernier emploi de l'or que m'avait donné mon père. Je fis construire trois vaisseaux de guerre à Cadix, je les fis remplir de canons, de mortiers, de bombes, de fusils, de balles, de poudre, de toutes vos effrayantes munitions d'Europe, et fis déposer tout cela dans le magasin du port qu'avait fait construire mon prédécesseur; les canons furent mis dans leurs embrasures, cent jeunes gens s'exercent deux fois le mois aux différentes manoeuvres nécessaires à cette artillerie; mes Concitoyens savent que ces précautions ne sont prises que contre l'ennemi qui voudrait nous envahir. Ils ne s'en inquiètent pas, ils ne cherchent même point à approfondir les effets de ces munitions infernales dont je leur ai toujours caché les expériences; les jeunes gens s'exercent sans tirer; si la chose était sérieuse, ils savent ce qui en résulterait, cela suffit. Avec les peuples doux qui m'entourent, je n'aurais pas eu besoin de ces précautions; vos barbares compatriotes m'y forcent, je ne les emploierai jamais qu'à regret.

Tel fut l'attirail formidable avec lequel, au bout de vingt ans, je rentrai dans ma Patrie, j'eus le bonheur d'y retrouver mon père, et d'y recevoir encore ses conseils; il fit briser les vaisseaux que j'amenai, il craignit que cette facilité d'entreprendre de grands voyages n'allumât la cupidité de ce bon peuple, et qu'à l'exemple des Européens, l'espoir de s'enrichir ailleurs ne vint troubler sa tranquillité. Il voulut que ce peuple aimable et pacifique, heureux de son climat, de ses productions, de son peu de loix, de la simplicité de son culte, conservât toujours son innocence en ne correspondant jamais avec des Nations étrangères, qui ne lui inculqueraient aucune vertu, et qui lui donneraient beaucoup de vices. J'ai suivi tous les plans de ce respectable et cher auteur de mes jours, je les ai améliorés quand j'ai cru le pouvoir: nous avons fait passer cette Nation de l'état le plus agreste à celui de la civilisation; mais à une civilisation douce, qui rend plus heureux l'homme naturel qui la reçoit, éloignée des barbares excès où vous avez porté la vôtre, excès dangereux qui ne servent qu'à faire maudir votre domination, qu'à faire haïr, qu'à faire détester vos liens, et qu'à faire regretter à celui que vous y soumettez l'heureuse indépendance dont vous l'avez cruellement arraché. L'état naturel de l'homme est la vie sauvage; né comme l'ours et le tigre dans le sein des bois, ce ne fut qu'en raffinant ses besoins qu'il crut utile de se réunir pour trouver plus de moyens à les satisfaire. En le prenant de-là pour le civiliser, songez à son état primitif, à cet état de liberté pour lequel l'a formé la nature, et n'ajoutez que ce qui peut perfectionner cet état heureux dans lequel il se trouvait alors, donnez-lui des facilités, mais ne lui forgez point de chaînes; rendez l'accomplissement de ses désirs plus aisé, mais ne les asservissez pas; contenez-le pour son propre bonheur, mais ne l'écrasez point par un fatras de loix absurdes, que tout votre travail tende à doubler ses plaisirs en lui ménageant l'art d'en jouir long-tems et avec sûreté; donnez-lui une religion douce, comme le dieu qu'elle a pour objet; dégagez-la sur-tout de ce qui ne tient qu'à la foi; faites-la consister dans les oeuvres, et non dans la croyance. Que votre peuple n'imagine pas qu'il faille croire aveuglément, tels et tels hommes, qui dans le fond n'en savent pas plus que lui, mais qu'il soit convaincu que ce qu'il faut, que ce qui plaît à l'Éternel est de conserver toujours son âme aussi pure que quand elle émana de ses mains; alors il volera lui-même adorer le Dieu bon qui n'exige de lui que des vertus nécessaires au bonheur de l'individu qui les pratique; voilà comme ce peuple chérira votre administration, voilà comme il s'y assujettira lui-même, et voilà comme vous aurez dans lui des amis fidèles, qui périraient plutôt que de vous abandonner, ou que de ne pas travailler avec vous à tout ce qui peut conserver la Patrie.

Nous reprendrons demain cette conversation, me dit Zamé; je vous ai raconté mon histoire, jeune homme, je vous ai dit ce que j'avais fait, il faut maintenant vous en convaincre: allons dîner, les femmes nous attendent.

Tout se passa comme la veille: même frugalité, même aisance, même attention, même bonté de la part de mes hôtes, nous eûmes de plus ses deux fils, qu'il était difficile de ne pas aimer dès qu'on avait pu les entendre et les voir: l'un était âgé de 22 ans, l'autre de 18; ils avaient tous deux sur leur physionomie les mêmes traits de douceur et d'aménité qui caractérisaient si bien leurs aimables parens. Ils m'accablèrent de politesses et de marques d'estime; ils n'eurent point en me regardant cette curiosité insultante et pleine de mépris, qui éclatent dans les gestes et dans les regards de nos jeunes gens, la première fois qu'ils voient un étranger; ils ne m'observèrent que pour me caresser, ne me parlèrent que pour me louer, ne m'interrogèrent que pour tirer de mes réponses quelques sujets de m'applaudir[8].

L'après-midi, Zamé voulut que nous allassions voir si rien ne manquait à mon équipage; il était difficile d'avoir donné de meilleurs ordres, impossible qu'ils usent mieux exécutés; ce fut alors qu'il me fit observer la difficulté d'aborder dans son port, et la manière dont il était défendu: deux ouvrages extérieurs l'embrassaient entièrement, et le dominaient à tel point, qu'aucun bâtiment n'y pouvaient entrer sans être foudroyé de la nombreuse artillerie qui garnissait ces deux redoutes; parvenait-on dans la rade, on se retrouvait sous le feu du fort; échappait-on à des dangers si sûrs, deux vastes boulevards défendaient l'approche de la ville; ils se garnissaient au besoin de toute la jeunesse de la Capitale, et l'invasion devenait impraticable.

Je n'ai jusqu'ici, grâce au ciel, encore nul besoin de tout cela, me dit Zamé, et j'espère bien que le peuple ne s'en servira jamais. Vous voyez ces énormes rochers qui commencent d'ici à régner de droite et de gauche, dès qu'ils se sont entr'ouverts pour former la bouche du port, ils deviennent inabordables de toutes parts, et ils ont plus de 300 pieds de hauteur; ils nous entourent ainsi de par-tout, ils nous servent par-tout de remparts. Nous aurons donc long-tems à faire jouir ce bon peuple de la félicité que nous lui avons préparée; cette certitude fait le charme de ma vie, elle me fera mourir content. Nous revînmes.

Vous êtes jeune, me dit Zamé un peu avant de rentrer au palais, il faut vous dédommager de l'ennui que je vous ai causé ce matin par un spectacle de votre goût.

A peine les portes furent-elles ouvertes, que je vis cent femmes autour de l'épouse du législateur, toutes uniformément vêtues, et toutes en rose, parce que c'était la couleur de leur âge: voilà les plus jolies personnes de la Capitale, me dit Zamé, j'ai voulu les réunir toutes sous vos yeux, afin que vous puissiez décider entr'elles et vos Françaises.

Moins occupé de l'idole de mon coeur, peut-être eussé-je mieux discerné l'assemblage étonnant de jolis traits qui se montraient à moi dans cet instant; mais je ne vis que ce tendre objet; chaque fois que la beauté paraissait à mes yeux, quelque fût la forme qu'elle prit, elle ne m'offrait jamais qu'Éléonore.

Néanmoins, on réunirait difficilement, je dois le dire, dans quelque ville d'Europe que ce pût être, un aussi grand nombre de jolies figures; en général, le sang est superbe à Tamoé; Zilia, que je vais essayer de vous peindre, vous donnera une idée générale de ce sexe charmant, auquel il semble que la nature n'ait accordé tant d'appas, que par le dessein qu'elle avait de lui faire habiter le plus heureux pays de la terre.

Zilia est grande, sa taille est souple et dégagée, sa peau d'une blancheur éblouissante; tous ses traits sont l'emblème de la candeur et de la modestie; ses yeux, plus tendres que vifs, très-grands et d'un bleu foncé, semblent exprimer à tout instant l'amour le plus délicat et le sentiment le plus voluptueux; sa bouche, délicieusement coupée, ne s'ouvre que pour montrer les dents les plus belles et les plus blanches, elle a peu de couleurs; mais elle s'anime dès qu'on la regarde, et son teint devient alors comme la plus fraîche des roses; son front est noble; ses cheveux, très-agréablement plantés, sont d'un blond cendré, et l'énorme quantité qu'elle en a, se mariant le plus élégamment du monde aux contours gracieux de son voile, retombant à grands flots, sur sa gorge d'albâtre, toujours découverte d'après l'usage de sa Nation, achèvent de donner à cette jolie personne l'air de la déesse même de la jeunesse; elle venait d'atteindre sa seizième année, et promettait de croître encore, quoique sa taille légère fut déjà très-élevée; ses bras sont un peu longs, et ses doigts, d'une élasticité, d'une souplesse et d'un mince auxquels nos yeux ne se font point.... Ne prenez pas ceci, pour une fadeur, Mademoiselle, dit Sainville en adressant la parole à ton Aline; mais j'aurais pu d'un mot peindre cette fille charmante, je n'avais besoin que de vous montrer.—En vérité, Monsieur, dit Madame de Blamont, est-il bien vrai? ne nous flattez-vous point? ma fille serait aussi jolie que Zilia?—J'ose vous protester, Madame, dit Sainville, qu'il est impossible de se mieux ressembler.—Poursuivez, poursuivez, Monsieur, dit le Comte à Sainville, vous donneriez de l'amour-propre à notre chère Aline, et nous ne voulons point la gâter.... Aline rougit.... Sa mère la baisa, et notre jeune aventurier reprit en ces termes.

Voilà la femme de mon fils, me dit Zamé en me présentant Zilia, elle ne sait encore dire que trois mots français, ce sont les premiers que son mari lui a appris; mais comme il lui trouve des dispositions, il continuera: prononcez-les donc ces trois mots, ma fille, lui dit ce père charmant, et la tendre et délicieuse Zilia posant la main sur son coeur, et regardant son mari avec autant de grâce que de modestie, lui dit en rougissant: voilà votre bien. Toutes les femmes se mirent à rire, et je vis alors qu'elle était la gaîté, la candeur et la touchante félicité qui régnait chez cet heureux peuple.

Je demandai à Zamé pourquoi les maris n'étaient pas avec leurs femmes?—Pour vous faire juger les sexes à part, me dit-il, demain vous ne verrez que les jeunes gens, après-demain nous les réunirons; j'ai peu de plaisirs à vous donner, je les ménage.

Ces femmes intéressantes animées par la présence de l'adorable épouse de leur chef, qui les encourageait et qui les aimait, se livrèrent le reste du jour à mille innocens plaisirs, qui, les plaçant dans nombre d'attitudes diverses, me développèrent leurs grâces naturelles, et acheva de me convaincre de la douceur et de l'aménité de leur caractère; elles exécutèrent plusieurs jeux de leur pays, ainsi que quelques-uns d'Europe, et furent dans tous, gaies, honnêtes, polies, toujours modestes et toujours décentes, si vous en exceptez l'usage d'avoir leur gorge entièrement découverte, (mais tout est habitude) et je n'ai point vu que ce costume, qui leur est propre, produisît jamais aucune indécence; les hommes sont faits à voir leurs femmes ainsi; ils l'étaient avant à les voir nues; les loix de Zamé sur cet objet, ont donc rétabli, au lieu de détruire.

On ne s'échauffe point de ce qu'on voit journellement, me répondit cet aimable homme, quand il s'aperçut de la surprise où cette coutume me jetait: la pudeur n'est qu'une vertu de convention; la nature nous a créés nuds, donc il lui plaisait que nous fussions tels; en prenant d'ailleurs ce peuple dans l'état de nudité, si j'avais voulu encaisser leurs femmes dans des busqués à l'européenne, elles se seraient désespérées: il faut, quand on change les usages d'une Nation, toujours autant qu'il est possible, conserver des anciens ce qui n'a nul inconvénient; c'est la façon d'accoutumer à tout, et de ne révolter sur rien. Une collation simple et frugale fut servie à ces femmes adorables; la même politesse, la même discrétion, la même retenue les suivit par-tout, et elles se retirèrent.

Le lendemain il y avait conseil, je ne pus voir Zamé que l'après-midi; je passai le matin à vaquer aux soins de notre équipage.—Venez, me dit notre hôte charmant dès qu'il fut libre, il me reste bien des choses à vous apprendre, pour vous donner une entière connaissance de notre Patrie et de nos moeurs: je vous ai dit que le divorce était permis dans mes États, ceci va nous jeter dans quelques détails.

La nature, en n'accordant aux femmes qu'un petit nombre d'années pour la reproduction de l'espèce, semble indiquer à l'homme qu'elle lui permet d'avoir deux compagnes: quand l'épouse cesse de donner des enfans à son mari, celui-ci a encore quinze ou vingt ans à en désirer, et à jouir de la possibilité d'en avoir; la loi qui lui permet d'avoir une seconde femme ne fait qu'aider à ses légitimes désirs, celle qui s'oppose à cet arrangement contrarie celle de la nature, et par sa rigueur, et par son injustice. Le divorce a pourtant deux inconvéniens: le premier, que les enfans de la plus vieille mère peuvent être maltraités par la plus jeune; le second, que les pères aimeront toujours mieux les derniers enfans.

Pour lever ces difficultés, les enfans quittent ici la maison paternelle dès qu'ils n'ont plus besoin du sein de la mère; l'éducation qu'ils reçoivent est nationale; ils ne sont plus les fils de tel ou tel, ce sont les enfans de l'État; les parens peuvent les voir dans les maisons où on les élève, mais les enfans ne rentrent plus dans la maison paternelle; par ce moyen, plus d'intérêt particulier, plus d'esprit de famille, toujours fatal à l'égalité, quelquefois dangereux à l'État; plus de crainte d'avoir des enfans au-delà des biens qu'on peut leur laisser. Les maisons n'étant habitées que par un ménage, il y en a souvent de vacantes; sitôt qu'une maison le devient, elle rentre dans la masse des biens de l'État, dont elle n'a été séparée que pendant la vie de ceux qui l'occupaient. L'État est seul possesseur de tous les biens, les sujets ne sont qu'usufruitiers; dès qu'un enfant mâle a atteint sa quinzième année, il est conduit dans la maison où s'élèvent les filles: là, il se choisit une épouse de son âge; si la fille consent, le mariage se fait; si elle n'y consent pas, le jeune homme cherche jusqu'à ce qu'il soit agréé; de ce moment, on lui donne une des maisons vacantes, et le fonds de terre annexé à cette maison, qu'elle ait appartenu à sa famille, ou non, la chose est indifférente, il suffit que le bien soit libre, pour qu'il en soit mis en possession. Si le jeune ménage a des parens, ils assistent à son hymen, dont la cérémonie, simple, ne consiste qu'à faire jurer à l'un et à l'autre époux, au nom de l'Éternel, qu'ils s'aimeront, qu'ils travailleront de concert à avoir des enfans, et que le mari ne répudiera sa femme, ou la femme le mari, que pour des causes légitimes: cela fait, les parens qui ont assisté comme témoins, se retirent, et les jeunes gens se trouvent maîtres d'eux sous l'inspection et la direction de leurs voisins, obligés de les aider, de leur donner des conseils et des secours pendant l'espace de deux ans, au bout desquels les jeunes époux sortent entièrement de tutelle. Si les parens veulent prendre le soin de cette direction, ils en sont les maîtres; alors, ils viennent aider chaque jour les nouveaux mariés, les deux années prescrites.

Les causes pour lesquelles l'époux peut demander le divorce, sont au nombre de trois: il peut répudier sa femme si elle est mal-saine, si elle ne veut pas, ou ai elle ne peut plus lui donner d'enfans, et s'il est prouvé qu'elle ait une humeur acariâtre, et qu'elle refuse à son mari tout ce que celui-ci peut légitimement exiger d'elle. La femme, de son coté, peut demander à quitter son mari, s'il est mal-sain, s'il ne veut pas, ou s'il ne peut plus lui faire des enfans lorsqu'elle est encore en état d'en avoir, et s'il la maltraite, quel qu'en puisse être le motif.

Il y a à l'extrémité de toutes les villes de l'État, une rue entière qui ne contient que des maisons plus petites que celles qui sont destinées aux ménages; ces maisons sont donnée par l'État aux répudiés de l'un ou l'autre sexe, et aux célibataires; elles ont, comme les autres, de petites possessions annexées à elles, de sorte que le célibataire ou le répudié, de quelque sexe qu'il soit, n'a rien à demander, ni à sa famille, si c'est le célibataire, ni l'un à l'autre, si ce sont des époux.

Un mari qui a répudié sa femme et qui en désire une autre, peut se la choisir, ou parmi les répudiées, s'il arrivait qu'il s'y en trouvât une qui lui plût, ou il va la prendre dans la maison d'éducation des filles. L'épouse qui a répudié son mari, agit absolument de même; elle peut se choisir un époux parmi les répudiés, s'il en est qui l'accepte, si elle en trouve qui lui plaise, ou elle va se le choisir parmi les jeunes gens, s'il en est qui veuille d'elle. Mais si l'un ou l'autre époux répudié désire vivre à part dans la petite habitation que lui donne l'État, sans vouloir prendre de nouvelles chaînes, il en est le maître: on n'est contraint à aucune de ces choses, elles se font toutes de bon accord; jamais les enfans n'y peuvent mettre d'obstacles, c'est un fardeau dont l'État soulage les parens, puisqu'à peine les premiers voient-ils le jour, que ceux-ci s'en trouvent débarrasses. Au-delà de deux choix, la répudiation n'a plus lieu; alors, il faut prendre patience, et se souffrir mutuellement. On n'imagine pas combien la loi qui débarrasse les pères et mères de leurs enfans, évite dans les familles de divisions et de mésintelligences: les époux n'ont ainsi que les roses de l'hymen, ils n'en sentent jamais les épines. Rien en cela ne brise le noeuds de la nature, ils peuvent voir et chérir de même leurs enfans: ou leur laisse tout ce qui tient à la douceur des sentimens de l'âme, on ne leur enlève que ce qui pourrait les altérer ou les détruire. Les enfans, de leur côté, n'en chérissent pas moins leurs parens; mais accoutumés à voir la Patrie comme une autre mère, sans cesser d'être enfans plus tendres, ils en deviennent meilleurs Citoyens.

On a dit, on a écrit que l'éducation nationale ne convenait qu'à une République, et l'on s'est trompé: cette sorte d'éducation convient à tout Gouvernement qui voudra faire aimer la Patrie, et tel est le caractère distinctif du nôtre, si j'adapte d'ailleurs à l'isle de Tamoé une éducation républicaine, je vous en expliquerai bientôt les raisons. La facilité des répudiations dont vous venez de voir le détail, évite tellement l'adultère, que ce crime, si commun parmi vous, est ici de la plus grande rareté; s'il est prouvé pourtant, il devient un quatrième cas à la séparation des parties, souvent alors deux ménages changent réciproquement; mais il y a tant de moyens de se satisfaire en adoptant les noeuds de l'hymen, les entraves en sont si légères, qu'il est bien rare que la galanterie vienne souiller ces noeuds.

Les fonds qui doivent nourrir les époux étant tous de même valeur, le choix préside seul à la formation de leurs liens. Toutes les filles étant également riches, tous les garçons ayant la même portion de fortune, ils n'ont plus que leurs coeurs à écouter pour se prendre. Or, dès qu'on a toujours mutuellement ce qu'on désire, pourquoi changerait-on? et si l'on veut changer dès qu'on le peut, quel motif, dès-lors, engagerait à aller troubler le bonheur des autres? Il y a pourtant quelques intrigues, ce mal est inévitable; mais elles sont si rares et si cachées, ceux qui les ont ou qui les souffrent en éprouvent tous une telle honte, qu'il n'en résulte aucune sorte de trouble dans la société: point d'imprudences, point de plaintes, fort peu de crimes, n'est-ce pas là tout ce qu'on peut obtenir sur cette partie? et avec tous les moyens que vous employez, avec ces maisons scandaleuses, où de malheureuses victimes sont indécemment dévouées à l'intempérance publique; avec tout cela, dis-je, obtenez-vous dans votre Europe seulement la moitié de ce que je gagne par les procédés que je viens de vous dire[9].

Tout ce qui tient aux possessions vient de vous être démontré: ces détails vous font voir que le sujet n'a rien en propre, ne tient ce qu'il a que de l'État, qu'à sa mort tout y rentre; mais que comme il en jouit sa vie durant en pleine et sûre paix, il a le plus grand intérêt a ne pas laisser son domaine en friche; son aisance dépend du soin qu'il aura de ce domaine, il est donc forcé de l'entretenir. Quand les deux époux vieillissent, ou quand l'un des deux vient à manquer, les vieilles gens ou les gens veufs qui aidèrent autrefois les jeunes, le sont maintenant par eux, et c'est à ceux-ci que l'on s'en prend alors, si tout n'est pas géré dans ces cas de vieillesse, d'infirmités ou de veuvage avec le même ordre que cela l'était auparavant. Ces jeunes gens n'ont sans doute aucun intérêt bien direct à entretenir les domaines des vieux, puisqu'ayant déjà ce qu'il leur faut, ils n'en hériteront sûrement pas; mais ils le font par reconnaissance, par attachement pour la Patrie, et parce qu'ils sentent bien d'ailleurs que dans leur caducité ils auront besoin de pareils secours, et qu'on le leur refuserait, s'ils ne l'avaient pas donné aux autres.

Je n'ai pas besoin de vous faire observer combien cette égalité de fortune bannit absolument le luxe: il n'est point, dans un État, de meilleures loix somptuaires, il n'en est pas de plus sûres. L'impossibilité d'avoir plus que son voisin, anéantit absolument ce vice destructeur de toutes les Nations de l'Europe: on peut désirer d'avoir de meilleurs fruits qu'un autre, des comestibles plus délicats; mais ceci n'étant que le résultat des soins et des peines qu'on prend pour y réussir, ce n'est plus faste, c'est émulation; et comme elle ne tourne qu'au bien des sujets, le Gouvernement doit l'entretenir.

Jetons maintenant les yeux, mon ami, poursuivit cet homme respectable, sur la multitude de crimes que ces établissemens préviennent, et si je vous prouve que j'en diminue la somme sans qu'il en coûte un cheveu, ni une heure de peine au citoyen, m'avouerez-vous que j'aurai fait de la meilleure besogne que ces brutaux inventeurs et sectateurs de vos loix atroces, qui, comme celles de Dracon, ne prononcent jamais que le glaive à la main? M'accorderez-vous que j'aurai rempli le sage et grand principe des loix Perses, qui enjoignent au Magistrat de prévenir le crime, et non de le punir; il ne faut qu'un sot et qu'un bourreau pour envoyer un homme à la mort, mais beaucoup d'esprit et de soin pour l'empêcher de la mériter.

Avec l'égalité de biens, point de vols; le vol n'est que l'envie de s'approprier ce qu'on n'a pas, et ce qu'on est jaloux de voir à un autre; mais, dès que chacun possède la même chose, ce désir criminel ne peut plus exister.

L'égalité des biens entretenant l'union, la douceur du Gouvernement, portant tous les sujets à chérir également leur régime, point de crimes d'État, point de révolution.

Les enfans éloignés de la maison paternelle, point d'inceste; soigneusement élevés, toujours sous les yeux d'instituteurs sûrs et honnêtes ... point de viols.

Peu d'adultère, au moyen du divorce.

Les divisions intestines prévenues par l'égalité des rangs et des biens, toutes les sources du meurtre sont éteintes.

Par l'égalité, plus d'avarice, plus d'ambition, et que de crimes naissent de ces deux causes! plus de successeurs impatiens de jouir, puisque c'est l'âge qui donne des biens, et jamais la mort des parens; cette mort n'étant plus désirée, plus de parricides, de fratricides, et d'autres crimes si atroces, que le nom seul n'en devrait jamais être prononcé.

Peu de suicides, l'infortune seule y conduit: ici, tout le monde étant heureux, et tous l'étant également, pourquoi chercherait-on à se détruire?

Point d'infanticides: pourquoi se déferait-on de ses enfans, quand ils ne sont jamais à charge, et qu'on n'en peut retirer que des secours? Le désordre de jeunes gens étant impossible, puisqu'ils n'entrent dans le monde que pour se marier, la fille de famille n'est plus exposée comme chez vous au déshonneur ou au crime; faible, séduite et malheureuse, elle n'existe plus, comme chez vous, entre la flétrissure et l'affreuse nécessité de détruire le fruit infortuné de son amour.

Cependant, je l'avoue, toutes les infractions ne sont pas anéanties; il faudrait être un Dieu, et travailler sur d'autres individus que l'homme, pour absorber entièrement le crime sur la terre; mais comparez ceux qui peuvent rester dans la nature de mon Gouvernement, avec ceux où le Citoyen est nécessairement conduit par la vicieuse composition des vôtres. Ne le punissez donc pas quand il fait mal, puisque vous le mettez dans l'impossibilité de faire bien; changez la forme de votre Gouvernement, et ne vexez pas l'homme, qui, quand cette forme est mauvaise, ne peut plus y avoir qu'une mauvaise conduite, parce que ce n'est plus lui qui est coupable, c'est vous ... vous, qui pouvant l'empêcher de faire mal en variant vos loix, les laissez pourtant subsister, toutes odieuses qu'elles sont, pour avoir le plaisir d'en punir l'infracteur. Ne prendriez-vous pas pour un homme féroce, celui qui ferait périr un malheureux pour s'être laissé tomber dans un précipice où la main même qui le punirait viendrait de le jeter? Soyez justes: tolérez le crime, puisque le vice de votre Gouvernement y entraîne; ou si le crime vous nuit, changez la construction du Gouvernement qui le fait naître; mettez, comme je l'ai fait, le Citoyen dans l'impossibilité d'en commettre; mais ne le sacrifiez pas à l'ineptie de vos loix, et à votre entêtement de ne les vouloir pas changer.

Soit, dis-je à Zamé; mais il me semble que si vous avez peu de vices, vous ne devez guères avoir de vertus; et n'est-ce pas un Gouvernement sans énergie, que celui où les vertus sont enchaînées?

Premièrement, répondit Zamé, cela fût-il, je le préférerais: j'aimerais mille fois mieux, sans doute, anéantir tous les vices dans l'homme, que de faire naître en lui des vertus, si je ne le pouvais qu'en lui donnant des vices, parce qu'il est reconnu que le vice nuit beaucoup plus à l'homme, que la vertu ne lui est utile, et que dans vos Gouvernemens sur-tout, il est bien plus essentiel de n'avoir pas le vice qu'on punit, que de posséder la vertu qu'on ne récompense point. Mais vous vous êtes trompé; de l'anéantissement des vices ne résulte point l'impossibilité des vertus: la vertu n'est pas à ne point commettre de vices, elle est à faire le mieux possible dans les circonstances données, or, les circonstances sont également offertes ici à nos Citoyens, qu'aux vôtres: la bienfaisance ne s'exerce pas comme chez vous, j'en conviens, à des legs pieux, qui ne servent qu'à engraisser des moines, ou à des aumônes, qui n'encouragent que des fainéans; mais elle agit en aidant son voisin, en secourant l'homme infirme, en soignant les vieillards et les malades, en indiquant quelques bons principes pour l'éducation des enfans, en prévenant les querelles ou les divisions intestines; le courage se montre, à supporter patiemment les maux que nous envoie la nature; cette vertu ainsi exercée, n'est-elle pas d'un plus haut prix que celle qui ne nous entraîne qu'à la destruction de nos semblables? Mais celle-là même s'exercerait avec sublimité, s'il s'agissait de défendre la Patrie; l'amitié qu'on peut mettre au rang des vertus, ne peut-elle pas avoir ici l'extension la plus douce, et l'empire le plus agréable? Nous aimons l'hospitalité, nous l'exerçons envers nos amis et nos voisins; malgré l'égalité, l'émulation n'est point éteinte, je vous ferai voir nos charpentiers, nos maçons, vous jugerez de leur ardeur à se surpasser l'un l'autre, soit par le plus de souplesse, soit par la manière d'équarrir la pierre, de la façonner, d'en composer avec art la forme légère de nos maisons, d'en disposer les charpentes, etc.

Mais, continuai-je d'objecter à Zamé, voilà, quoique vous en disiez, une seconde classe dans l'État; cet ouvrier n'est qu'un mercenaire, le voilà rabaissé dans l'opinion, le voilà différent du Citoyen qui ne travaille point.

Erreur, me dit Zamé, il n'y a aucune différence entre celui que vous allez voir à l'instant construire une maison, et celui qu'hier vous vites admis à ma table; leur condition est égale, leur fortune l'est, leur considération absolument la même; rien, en un mot, ne les distingue, et cette opinion qui élève l'un chez vous, et qui avilit l'autre, nous ne l'admettons nullement ici: Zilia, ma bru, Zilia que vous admirâtes, est la fille d'un de nos plus habiles manufacturiers; c'est pour récompenser son mérite que je me suis allié avec lui.

Les dispositions seules de nos jeunes gens établissent la différence de leurs occupations pendant leur vie: celui-ci n'a de talent que pour l'agriculture, tout autre ouvrage le dégoûte ou ne s'accorde pas à sa constitution, il se contente de cultiver la portion de terre que lui confie l'État, d'aider les autres dans la même partie, de leur donner des conseils sur ce qui y est relatif: celui-ci manie le rabot avec adresse, nous en faisons un menuisier; les outils ne nous manquent point, j'en ai rapporté plusieurs coffres d'Europe; quand le fer en sera usé, nous les réparerons avec l'or de nos mines; et ainsi ce vil métal aura une fois au moins servi à des choses utiles: tel autre élève montrera du goût pour l'architecture, le voilà maçon; mais, ni les uns, ni les autres, ne sont mercenaires, on les paie des services qu'ils rendent par d'autres services; c'est pour le bien de l'État qu'ils travaillent, quel infâme préjugé les avilirait donc? quel motif les rabaisserait aux yeux de leur compatriotes? Ils ont le même bien, la même naissance, ils doivent donc être égaux: si j'admettais les distinctions, assurément ils l'emporteraient sur ceux qui seraient oisifs; le Citoyen le plus estimé dans un État, ne doit pas être celui qui ne fait rien, la considération n'est due qu'à celui qui s'occupe le plus utilement.

Mais les récompenses que vous accordez au mérite, dis-je à Zamé, doivent, en distinguant celui qui les obtient, produire des jalousies, établir malgré vous des différences?—Autre erreur, ces distinctions excitent l'émulation; mais elles ne font point éclore de jalousies: nous prévenons ce vice dès l'enfance, en accoutumant nos élèves à désirer d'égaler ceux qui font bien, à faire mieux, s'il est possible; mais a ne point les envier, parce que l'envie ne les conduirait qu'à une situation d'âme affligeante et pénible, au lieu que les efforts qu'ils feront pour surpasser celui qui mérite des récompenses, les amèneront à cette jouissance intérieure que nous donne la louange. Ces principes, inculqués dès le berceau, détruisent toute semence de haine: on aime mieux imiter, ou surpasser, que haïr, et tous ainsi parviennent insensiblement à la vertu.—Et vos punitions?—Elles sont légères, proportionnées aux seuls délits possibles dans notre Nation; elles humilient, et ne flétrissent jamais, parce qu'on perd un homme en le flétrissant, et que du moment que la société le rejette, il ne lui reste plus d'autre parti que le désespoir, ou l'abandon de lui-même, excès funestes, qui ne produisent rien de bon, et qui conduisent incessamment ce malheureux au suicide ou à l'échafaud; tandis qu'avec plus de douceur et des préjugés moins atroces, on le ramènerait à la vertu, et peut-être un jour à l'héroïsme. Nos punitions ne consistent ici que dans l'opinion établie: j'ai bien étudié l'esprit de ce peuple; il est sensible et fier, il aime la gloire; je les humilie lorsqu'ils font mal: quand un Citoyen a commis une faute grave, il se promène dans toutes les rues entre deux crieurs publics, qui annoncent à haute voix le forfait dont il s'est souillé; il est inouï combien cette cérémonie les fâche, combien ils en sont pénétrés, aussi je la réserve pour les plus grandes fautes[10]; les légères sont moins châtiées: un ménage nonchalant, par exemple, qui entretient mal le bien que l'État lui confie, je le change de maison, je l'établis dans une terre inculte, où il lui faut le double de soins et de peines pour retirer sa nourriture de la terre; est-il devenu plus actif, je lui rends son premier domaine. A l'égard des crimes moraux, si les coupables habitent une autre ville que la mienne, ils sont punis par une marque dans les habillemens; s'ils habitent la Capitale, je les punis par la privation de paraître chez moi: je ne reçois jamais, ni un libertin, ni une femme adultère; ces avilissemens les mettent au désespoir, ils m'aiment, ils savent que ma maison n'est ouverte qu'à ceux qui chérissent la vertu; qu'il faut, ou la pratiquer, ou renoncer à me jamais voir; ils changent, ils se corrigent: vous n'imagineriez pas les conversions que j'ai faites avec ces petits moyens; l'honneur est le frein des hommes, on les mène où l'on veut en sachant les manier à propos: on les humilie, on les décourage, on les perd, quand on n'a jamais que la verge en main; nous reviendrons incessamment sur cet article: je vous l'ai dit, je veux vous communiquer mes idées sur les loix, et vous les approuverez d'autant plus, j'espère, que c'est par l'exécution de ces idées que je suis parvenu à rendre ce peuple heureux.

Quant aux récompenses que j'emploie, continua Zamé, elles consistent en des grades militaires; quoique tous soient nés soldats pour la défense de la Patrie, quoique tous soient égaux là comme chez eux, il leur faut pourtant des officiers pour les exercer, il leur en faut pour les conduire à l'ennemi: ces grades sont la récompense du mérite et des talens: je fais un bon maçon lieutenant des phalanges de l'État; un Citoyen unanimement reconnu pour intelligent et vertueux, deviendra capitaine; un agriculteur célèbre sera major, ainsi du reste: ce sont des chimères, mais elles flattent; il ne s'agit, ni de donner trop de rigueur aux punitions, ni de donner trop de valeur aux récompenses; il n'est question que de choisir, dans le premier cas, ce qui peut humilier le plus, et dans le second, ce qui a le plus d'empire sur l'amour-propre. La manière d'amener l'homme à tout ce qu'on veut, dépend de ces deux seuls moyens; mais il faut le connaître pour trouver ces moyens, et voilà pourquoi je ne cesse de dire que cette connaissance, que cette étude est le premier art du législateur; je sais bien qu'il est plus commode d'avoir, comme dans votre Europe, des peines et des récompenses égales, de ces espèces de pont aux ânes, où il faut que passent les petits infracteurs comme les grands, que cela leur soit convenable au non, sans doute cela est plus commode; mais ce qui est plus commode, est-il le meilleur? Qu'arrive-t-il chez vous de ces punitions qui ne corrigent point, et de ces récompenses qui flattent peu? Que vous avez toujours la même somme de vices, sans acquérir une seule vertu, et que depuis des siècles que vous opérez, vous n'avez encore rien changé à la perversité naturelle de l'homme.

Mais vous avez au moins des prisons, dis-je à Zamé, cette digue essentielle d'un Gouvernement ne doit pas avoir été oubliée par votre sagesse?—Jeune homme, répondit le législateur, je suis étonné qu'avec de l'esprit, vous puissiez une faire une telle demande: ignorez-vous que la prison, la plus mauvaise et la plus dangereuse des punitions, n'est qu'un ancien abus de la justice, qu'érigèrent ensuite en coutume le despotisme et la tyrannie? La nécessité d'avoir sous la main celui qu'il fallait juger, inventa naturellement, d'abord des fers, que la barbarie conserva, et cette atrocité, comme tous les actes de rigueur possibles, naquit au sein de l'ignorance et de l'aveuglement: des juges ineptes, n'osant ni condamner, ni absoudre dans de certains cas, préférèrent a laisser l'accusé garder la prison, et crurent par là leur conscience dégagée, puisqu'ils ne faisaient pas perdre la vie à cet homme, et qu'ils ne le rendaient pas à la société; le procédé en était-il moins absurde? Si un homme est coupable, il faut lui faire subir son jugement; s'il est innocent, il faut l'absoudre: toute opération faite entre ces deux points ne peut qu'être vicieuse et fausse. Une seule excuse resterait aux inventeurs de cette abominable institution, l'espoir de corriger; mais qu'il faut peu connaître l'homme pour imaginer que jamais la prison puisse produire cet effet sur lui: ce n'est pas en isolant un malfaiteur qu'on le corrige, c'est en le livrant à la société qu'il a outragé, c'est d'elle qu'il doit recevoir journellement sa punition, et ce n'est qu'à cette seule école qu'il peut redevenir meilleur; réduit à une solitude fatale, à une végétation dangereuse, à un abandon funeste, ses vices germent, son sang bouillonne, sa tête fermente; l'impossibilité de satisfaire ses désirs en fortifie la cause criminelle, et il ne sort de là que plus fourbe et plus dangereux: ce sont aux bêtes féroces que sont destinés les guichetiers et les chaînes; l'image du Dieu qui a créé l'univers n'est pas faite pour une telle abjection. Dès qu'un Citoyen fait une faute, n'ayez jamais qu'un objet; si vous voulez être juste, que sa punition soie utile à lui ou aux autres; toute punition qui s'écarte de là n'est plus qu'une infamie; or, la prison ne peut assurément être utile à celui qu'on y met, puisqu'il est démontré qu'on ne doit qu'empirer au milieu des dangers sans nombre de ce genre de vexation. La détention se trouvant secrète, comme le sont ordinairement celles de France, elle ne peut plus être bonne pour l'exemple puisque le public l'ignore. Ce n'est donc plus qu'un impardonnable abus que tout condamne et que rien ne légitime; une arme empoisonnée dans les mains du tyran ou du prévaricateur; un monopole indigne entre le distributeur de ces fers et l'indigne fripon qui, nourrissant ces infortunés, ne néglige ni le mensonge, ni la calomnie pour prolonger leurs maux; un moyen dangereux indiscrètement accordé aux familles, pour assouvir sur un de leur membre (coupable ou non) des haines, des Inimitiés, des jalousies et des vengeances, dans tous les cas enfin, une horreur gratuite, une action contraire aux constitutions de tout gouvernement, et que les rois n'ont usurpée que sur la faiblesse de leur nation. Quand, un homme a fait une faute, faites-la lui réparer en le rendant utile à la société qu'il osa troubler; qu'il dédommage cette société du tort qu'il lui a fait par tout ce qui peut être en son pouvoir; mais ne l'isolez pas, ne le séquestrez pas, parce qu'un homme enfermé, n'est plus bon ni à lui, ni aux autres, et qu'il n'y a qu'un pays où les malheureux sont comptés pour rien, et les fripons pour tout; qu'un pays où l'argent et les femmes sont les premiers motifs des opérations; qu'un pays où l'humanité, la justice sont foulées aux pieds par le despotisme et la prévarication, où l'on ose se permettre des indignités de ce genre. Si pourtant vos prisons, depuis que vous y faites gémir tant d'individus qui valent mieux que ceux qui les y mettent ou qui les y tiennent, si, dis-je, ces stupides carcérations avaient produit, je ne dis pas vingt, je ne dis pas six, mais seulement une seule conversion, je vous conseillerais de les continuer, et j'imaginerais alors que c'est la faute du sujet qui ne se corrige pas en prison et non de la prison qui doit nécessairement corriger. Mais il est absolument impossible de pouvoir citer l'exemple d'un seul homme amendé dans les fers. Et le peut-il? Peut-on devenir meilleur dans le sein de la bassesse et de l'avilissement? Peut-on gagner quelque chose au milieu des exemples les plus contagieux de l'avarice, de la fourberie et de la cruauté? on y dégrade son caractère, on y corrompt ses moeurs, on y devient bas, menteur, féroce, sordide, traître, méchant, sournois, parjure comme tout ce qui vous entoure; on y change, en un mot, toutes ses vertus contre tous les vices: et sorti de là, plein d'horreur pour les hommes, on ne s'occupe plus que de leur nuire ou de s'en venger.[11]

Mais ce que j'ai à vous dire demain relativement aux loix, vous développera mieux mes systèmes sur tout ceci; venez, jeune homme, suivez-moi, je vous ai fait voir hier mes plus belles femmes, je veux vous donner aujourd'hui un échantillon du corps de troupes que j'opposerais à l'ennemi qui voudrait essayer une descente.

Permettez, ô mon bienfaiteur, dis-je à Zamé; avant que de quitter cet entretien, je voudrais connaître l'étendue de vos arts.—Nous bannissons tous ceux de luxe, me répondit ce philosophe, nous ne tolérons absolument ici que l'art utile au citoyen, l'agriculture, l'habillement, l'architecture et le militaire, voilà les seuls. J'ai proscrit absolument tous les autres, excepté quelques uns d'amusemens dont j'aurai peut-être occasion de vous faire voir les effets; ce n'est pas que je ne les aime tous, et que je ne les cultive dans mon particulier même encore quelque fois; mais je n'y donne que mes instans de repos.... Tenez, me dit-il, en ouvrant un cabinet, près de la salle où j'étais avec lui, voilà un tableau de ma composition, comment le trouvez-vous? C'est la calomnie traînant l'innocence, par les cheveux, au tribunal de la justice.—Ah! dis-je, c'est une idée d'Appelles, vous l'avez rendue d'après lui.—Oui, me répondit Zamé, la Grèce m'a donné l'idée et la France m'a fourni le sujet.[12]

Sortons, mon ami, notre infanterie nous attend, je suis envieux de vous la faire voir.

Trois mille jeunes gens armés à l'européenne, remplissaient la place publique, ils étaient séparés par pelotons, chacune de ces divisions avait quelques officiers à leur tête; voilà, me dit Zamé, mes ducs, mes barons, mes comtes, mes marquis, mes maçons, mes tisserands, mes charpentiers, mes bourgeois, et pour réunir tout cela d'un seul mot, mes bons et mes fidèles amis, prêts à défendre la patrie au dépend de leur sang. Il y a quinze autres villes dans l'isle un peu moins grandes que la capitale, mais desquelles nous pourrions tirer un corps semblable à celui-ci, c'est donc à peu-près toujours quarante-cinq mille hommes prêts à défendre nos côtes..... Avançons, ce serait au port qu'il faudrait qu'ils se rendissent, s'il nous survenait quelqu'alarme: allons nous amuser à la leur donner nous-mêmes.

Il y avait toujours une légère garde aux ouvrages avancés, nous nous rendîmes à la dernière vedette, et saisissant son drapeau d'alarme, nous l'exposâmes où il devait être pour être aperçu de la ville. En moins de six minutes, je n'exagère pas, quoiqu'il y eût un quart de lieue de la ville au port, l'infanterie que nous avions laissée sur la place, fut dispersée dans tous les ouvrages, et l'artillerie fut braquée. Pendant les efforts de ce premier élan, me dit Zamé, en allume des feux sur le sommet des montagnes qui environnent l'isle et où se tiennent perpétuellement des postes relayés chaque semaine, les milices désignées se rassemblent, elles accourent successivement, avec une telle rapidité, que les détachemens de la ville la plus éloignée, celle située à trente lieues d'ici, se trouvent au rendez-vous du port en moins de quinze heures après l'alarme; ainsi notre année grossit à mesure que le danger croît, et si l'ennemi après de premières tentatives qui demandent bien les quatorze ou quinze heures dont j'ai besoin pour tout réunir, si l'ennemi, dis-je, essaye une descente malgré tout ce qui doit l'en empêcher, il trouve quarante-cinq mille hommes prêts à le recevoir.

Ces précautions vous assurent la victoire, dis-je a Zamé, les troupes placées sur nos vaisseaux de découverte sont beaucoup trop faibles pour lutter contre vous, et j'ose assurer que rien ne troublera jamais la tranquillité dont vous avez besoin pour achever l'heureuse civilisation de ce peuple.... Nous n'avons maintenant en course que le célèbre Cook, anglais,[13] grand homme de mer et qui réunit à ces talens tous ceux qui composent l'homme d'état et le négociateur. S'il est anglais, je ne le crains pas, dit Zamé, cette nation, à la fois guerrière et franche facilitera plutôt mes projets qu'elle ne cherchera à les détruire.

Nous regagnâmes le chemin de la ville, escorté par le détachement militaire qui varia mille fois dans la route ses manoeuvres et ses mouvemens, et toujours avec la plus exacte précision et la légèreté la plus agréable.

Cent de ces jeunes hommes, les plus beaux et les mieux faits, furent invités à une collation chez Zamé, et se livrèrent comme avaient fait les femmes, la veille, à plusieurs petits jeux auxquels ils joignirent quelques combats de lutte et de pugilat, où présidèrent toujours l'adresse et les grâces.

Ce sexe est à Tamoé généralement beau et bien fait; arrivé à sa plus grande croissance, il a rarement au-dessous de cinq pieds six pouces, quelques-uns sont beaucoup plus grands, et rarement l'élévation de leur taille nuit à la justesse et à la régularité des proportions. Leurs traits sont délicats et fins, peut-être trop même pour des hommes, leurs yeux très-vifs, leur bouche un peu grande, mais très-fraîche, leur peau fine et blanche, leurs cheveux superbes et presque tous du plus beau brun du monde. En général, tous leurs mouvemens ont de la justesse, leur maintien est noble, fier, mais leur ton est doux et honnête. La nature les a bien traités dans tout, me dit Zamé, voyant que je les examinais avec l'air du contentement ... et Sainville n'osant achever ces détails devant les dames, s'approcha de nous avec leur permission, et nous dit bas que Zamé l'avait assuré qu'il n'était point de pays dans le monde où les proportions viriles fussent portées à un tel point de supériorité, et que par un autre caprice de la nature, les femmes étaient si peu formées pour de tels miracles, que le dieu d'hymen ne triomphait jamais sans secours.

Je vous ai promis de vous parler des loix, mon ami, me dit le lendemain ce respectable ami de l'homme, allons prendre l'air sous ces peupliers d'Italie dont j'ai fait former des allées près de la ville, avec des plants rapportés d'Europe; on cause mieux en se promenant, sous la voûte du ciel, les idées ont plus d'élévation.

La rigueur des peines, poursuivit ce vieillard, est une des choses qui m'a le plus révolté dans vos gouvernemens européens.[14]

Les Celtes justifiaient leur affreuse coutume d'immoler des victimes humaines en disant que les Dieux ne pouvaient être apaisés à moins qu'on ne rachetât la vie d'un homme par celle d'un autre; n'est-ce pas le même raisonnement qui vous fait égorger chaque jour des victimes aux pieds des autels de Thémis, et lorsque vous punissez de mort un meurtrier, n'est-ce pas positivement, comme ces barbares, racheter la vie d'un homme par celle d'un autre? Quand sentirez-vous donc que doubler le mal n'est pas le guérir, et que dans la duplicité de ce meurtre, il n'y a rien à gagner ni pour la vertu que vous faites rougir, ni pour la nature que vous outragez.—Mais faut-il donc laisser les crimes impunis, dis-je à Zamé, et comment les anéantir sans cela, dans tout gouvernement qui n'est pas constitué comme le vôtre?—Je ne vous dis pas qu'il faille laisser subsister les crimes, mais je prétends qu'il faut mieux constater, qu'on ne le fait, ce qui véritablement trouble la société, ou ce qui n'y porte aucun préjudice: ce dol une fois reconnu sans doute, il faut travailler à le guérir, à l'extirper de la nation, et ce n'est pas en le punissant qu'on y réussit; jamais la loi, si elle est sage, ne doit infliger de peines que celle qui tend à la correction du coupable en le conservant à l'État. Elle est fausse dès qu'elle ne tend qu'à punir; détestable, dès qu'elle n'a pour objet que dé perdre le criminel sans l'instruire, d'effrayer l'homme sans le rendre meilleur, et de commettre une infamie égale à celle de l'infracteur, sans en retirer aucun fruit. La liberté et la vie sont les deux seuls présens que l'homme ait reçu du ciel, les deux seules faveurs qui puissent balancer tous ses maux; or comme il ne les doit qu'à Dieu seul, Dieu seul a le droit de les lui ravir.

A mesure que les Celtes se policèrent, et que le commerce des Romains, en les assouplissant d'un côté, leur enlevait de l'autre cette apprêté de moeurs qui les rendaient féroces, les victimes destinées aux Dieux, ne furent plus choisies ni parmi les vieillards, ni parmi les prisonniers de guerre, on n'immola plus que des criminels toujours dans l'absurde supposition que rien n'était plus cher que le sang de l'homme, aux autels de la divinité; en achevant votre civilisation, le motif changea, mais vous conservâtes l'habitude, ce ne fut plus à des Dieux altérés de sang humain, que vous sacrifiâtes des victimes, mais à des loix que vous avez qualifié de sages, parce que vous y trouviez un motif spécieux pour vous livrer à vos anciennes coutumes, et l'apparence d'une justice qui n'était autre clans le fond que le désir de conserver des usages horribles auxquels vous ne pouviez renoncer.

Examinons un instant ce que c'est qu'une loi et l'utilité dont elle peut être dans un État.

Les hommes, dit Montesquieu, considérés dans l'état de pure nature, ne pouvaient donner d'autres idées que celles de la faiblesse fuyant devant la force des oppresseurs sans combats et sans résistance des opprimés, ce fut pour mettre la balance que les loix furent faites, elles devaient donc établir l'équilibre. L'ont-elles fait? Ont-elles établi cet équilibre si nécessaire; et qu'a gagné le faible à l'érection des loix? sinon que les droits du plus fort au lieu d'appartenir à l'être à qui les assignait la nature, redevenaient l'apanage de celui qu'élevait la fortune? Le malheureux n'a donc fait que changer de maître et toujours opprimé comme avant, il n'a donc gagné que de l'être avec un peu plus du formalité. Ce ne devait plus être comme dans l'état de nature, l'homme le plus robuste qui serait le plus fort, ce devait être celui dans les mains duquel le hasard, la naissance ou l'or placerait la balance, et cette balance toujours prête à pencher vers ceux de la classe de celui qui la tient, ne devait offrir au malheureux que le côté du mépris, de l'asservissement ou du glaive.... Qu'a donc gagné l'homme à cet arrangement? et l'état de guerre franche dans lequel il eût vécu comme sauvage, est-il de beaucoup inférieur à l'état de fourberie, de lésion, d'injustice, de vexation et d'esclavage dans lequel vit l'homme policé?

Le plus bel attribut des loix, dit encore votre célèbre Montesquieu, est de conserver au citoyen cette espèce de liberté politique par laquelle, à l'abri des loix, un homme marche à couvert de l'insulte d'un autre; mais gagne-t-il cet homme s'il ne se met à l'abri des insultes de ses égaux? qu'en s'exposant à celle de ses supérieurs? Gagne-t-il à sacrifier une partie de sa liberté pour conserver l'autre, si dans le fait il vient à les perdre toutes deux; la première des loix est celle de la nature, c'est la seule dont l'homme ait vraiment besoin. Le malfaiteur dans l'âme duquel il ne sera pas empreint de ne point faire aux autres ce qu'il ne voudrait pas qui lui fût fait sera rarement arrêté par la frayeur des loix. Pour briser dans son coeur ce premier frein naturel, il faut avoir fait des efforts infiniment plus grands que ceux qui font braver les loix. L'homme vraiment contenu par la loi de la nature, n'aura donc pas besoin d'en avoir d'autres, et s'il ne l'est point par cette première digue, la seconde ne réussira pas mieux; voilà donc la loi peu nécessaire dans le premier cas, parfaitement inutile dans le second; réfléchissez maintenant à la quantité de circonstances qui de peu nécessaire ou d'inutile, peuvent la rendre extrêmement dangereuse: l'abus de la déposition des témoins, l'extrême facilité de les corrompre, l'incertitude des aveux du coupable, que la torture même ne rendait que moins valides encore[15] le plus ou le moins de partialité du juge, les influences de l'or ou du crédit.... Multiplicité de conséquences dont je ne vous offre qu'une partie et d'où dépendent la fortune, l'honneur et la vie du citoyen.... Et combien d'ailleurs la malheureuse facilité donnée au magistrat, d'interpréter la loi comme il le veut, ne rend-elle pas cette loi bien plus l'instrument de ses passions, que le frein de celles des autres?

Telle pureté que puisse avoir cette loi ne devient-elle pas toujours très-abusive, dès qu'elle est susceptible d'interprétation par le juge? L'objet du législateur était-il qu'on pût donner à sa loi autant de sens que peut en avoir le caprice ou la fantaisie de celui qui la presse; ne les eût-il pas prévu s'il les eût cru possibles ou nécessaires? Voilà donc la loi insuffisante aux uns, inutile aux autres, abusive ou dangereuse presque dans tous les cas, et vous voilà forcé de convenir que ce que l'homme a pu gagné en se mettant sous la protection de cette loi, il l'a bien perdu d'ailleurs et par tous les dangers qu'il court en vivant sous cette protection, et par tous les sacrifices qu'il fait pour l'acquérir. Mais raisonnons.

Il y a certainement peu d'hommes au monde qui, d'après l'état actuel des choses, soient exposés dans une de nos villes policées plus de deux ou trois fois dans sa vie à l'infraction des loix. Qu'il vive dans une nation incivilisée, il s'y trouvera peut-être exposé dans le cours de cette même vie vingt ou trente fois au plus, voilà donc vingt ou trente fois, et dans le pire état, qu'il regrettera de n'être pas sous la protection des loix.... Que ce même homme descende un moment au fond de son coeur, et qu'il se demande combien de fois dans sa vie ces mêmes loix ont cruellement gêné ses passions; et l'ont par conséquent rendu fort malheureux, il verra au bout d'un compte bien exact du bonheur qu'il doit à ces loix et du malheur qu'il a ressenti de leur joug, s'il ne s'avouera pas, qu'il eût mille fois mieux aimé n'être pas accablé de leur poids, que de supporter la rigueur de ce poids, pour perdre autant et gagner si peu. Ne m'accusez pas de ne choisir que des gens mal nés pour établir mon calcul, je le donne au plus honnête des hommes, et ne demande de lui que de la franchise. Si donc la loi vexe plus le citoyen qu'elle ne lui sert, si elle le rend dix, douze, quinze fois plus malheureux qu'elle ne le défend ou ne le protège, elle est donc non seulement abusive, inutile et dangereuse comme je viens de le prouver tout à l'heure, mais elle est même tyrannique et odieuse; et cela posé, il vaudrait bien mieux, vous me l'avouerez, consentir au peu de mal qui peut résulter du renversement d'une partie de ces loix, que d'acheter au prix du bonheur de sa vie, le peu de tranquillité qui résulte d'elles.[16]

Mais de toutes ces loix, la plus affreuse sans doute, est celle qui condamne à la mort un homme qui n'a fait que céder à des inspirations plus fortes que lui. Sans examiner ici s'il est vrai que l'homme ait le droit de mort sur ses semblables, sans m'attacher à vous faire voir qu'il est impossible qu'il ait jamais reçu ce droit ni de Dieu, ni de la nature, ni de la première assemblée où les loix s'érigèrent, et dans laquelle l'homme consentit à sacrifier une portion de sa liberté pour conserver l'autre; sans entrer, dis-je, dans tous ces détails déjà présentés par tant de bons esprits, de manière à convaincre de l'injustice et de l'atrocité de cette loi, examinons simplement ici quel effet elle a produit sur les hommes depuis qu'ils s'y sont assujettis. Calculons d'une part toutes les victimes innocentes sacrifiées par cette loi, et de l'autre toutes les victimes égorgées par la main du crime et de la scélératesse. Confrontons ensuite le nombre des malheureux vraiment coupables qui ont péri sur l'échafaud, à celui des citoyens véritablement contenus par l'exemple des criminels condamnés. Si je trouve beaucoup plus de victimes du scélérat, que d'innocens sacrifiés par le glaive de Thémis, et de l'autre part que pour cent ou deux cent mille criminels justement immolés, je trouve des millions d'hommes contenus, la loi sans doute sera tolérable; mais si je découvre au contraire comme cela n'est que trop démontré, beaucoup plus de victimes innocentes chez Thémis, que de meurtres chez les scélérats, et que des millions d'êtres même justement suppliciés, n'aient pu arrêter un seul crime, la loi sera non seulement inutile, abusive, dangereuse et gênante, ainsi qu'il vient d'être démontré, mais elle sera absurde et criante, et ne pourra passer, tant qu'elle punira afflictivement, que pour un genre de scélératesse qui n'aura, de plus que l'autre, pour être autorisé; que l'usage, l'habitude et la force, toutes raisons qui ne sont ni naturelles, ni légitimes, ni meilleures que celles de Cartouche.

Quel sera donc alors le fruit que l'homme aura recueilli du sacrifice volontaire d'une portion de sa liberté, et que reviendra-t-il au plus faible d'avoir encore amoindri ses droits, dans l'espoir de contrebalancer ceux du plus fort, sinon de s'être donné des entraves et un maître de plus? Puisqu'il a toujours contre lui le plus fort comme il l'avait auparavant, et encore le juge qui prend communément le parti du plus fort et pour son intérêt personnel et par ce penchant secret et invincible qui nous ramène sans cesse vers nos égaux.

Le pacte fait par le plus faible dans l'origine des sociétés, cette convention par laquelle, effrayé du pouvoir du plus fort, il consentit à se lier et à renoncer à une portion de sa liberté, pour jouir en paix de l'autre, fut donc bien plutôt l'anéantissement total des deux portions de sa liberté, que la conservation de l'une des deux, ou, pour mieux dire, un piège de plus dans lequel le plus fort eut l'art, en lui cédant, d'entraîner le plus faible.

C'était par une entière égalité des fortunes et des conditions, qu'il fallait énerver la puissance du plus fort, et non par de vaines loix qui ne sont, comme le disait Solon, que des toiles d'araignées où les moucherons périssent, et desquelles les guêpes trouvent toujours le moyen de s'échapper.

Eh! que d'injustices d'ailleurs, que de contradictions dans vos loix Européennes? Elles punissent une infinité de crimes qui n'ont aucune sorte de conséquence, qui n'outraient en rien le bonheur de la société, tandis que, d'autre part, elles sont sans vigueur sur des forfaits réels et dont les suites sont infiniment dangereuses. Tels que l'avarice, la dureté d'âme, le refus de soulager les malheureux, la calomnie, la gourmandise et la paresse contre lesquels les loix ne disent mot, quoiqu'ils soient des branches intarissables de crimes et de malheurs.

Ne m'avouerez-vous pas que cette disproportion, que cette cruelle indulgence de la loi sur certains objets, et sa farouche sévérité sur d'autres, rendent bien douteuse la justice des cas sur lesquels elles prononcent, et sa nécessité bien incertaine.

L'homme déjà si malheureux par lui-même, déjà si accablé de tous les maux que lui préparent sa faiblesse et sa sensibilité, ne mérite-t-il pas un peu d'indulgence de ses semblables? Ne mérite-t-il pas que ceux-ci ne le surchargent point encore du joug de tant de liens ridicules, presque tous inutiles, et contraires à la nature. Il me semble qu'avant d'interdire à l'homme ce que l'on qualifie gratuitement de crimes, il faudrait bien examiner avant, si cette chose, telle qu'elle soit, ne peut pas s'accorder avec les règles nécessaires au véritable maintien de la société: car s'il est démontré que cette chose n'y fait pas de mal, ou que ce mal est presqu'insensible, la société plus nombreuse, ayant plus de force que l'homme seul, et pouvant mieux souffrir ce mal, que l'homme ne supporterait la privation du léger délit qui le charme, doit sans doute tolérer ce petit mal, plutôt que de le punir.

Qu'un législateur philosophe, guidé par cette sage maxime, fasse passer en revue devant lui, tous les crimes contre lesquels vos loix prononcent, qu'il les approfondisse tous, et les toise, s'il est permis d'employer cette expression, au véritable bonheur de la société, quel retranchement ne fera-t-il pas?

Solon disait qu'il tempérait ses loix et les accommodait si bien aux intérêts de ses concitoyens, qu'ils connaîtraient évidemment, qu'il leur serait plus avantageux de les observer, que de les enfreindre; et en effet, les hommes ne transgressent ordinairement que ce qui leur nuit; des loix assez sages, assez douces pour s'accorder avec la nature, ne seraient jamais violées.—Et pourquoi donc les croire impossibles. Examinez les miennes et le peuple pour qui je les ai faites, et vous verrez si elles sont ou non puisées dans la nature.

La meilleure de toutes les loix, devant être celle qui se transgressera le moins, sera donc évidemment celle qui s'accordera le mieux et à nos passions et au génie du climat sous lequel nous sommes nés. Une loi est un frein: or la meilleure qualité du frein est de ne pouvoir se rompre. Ce n'est pas la multiplicité des loix qui constitue la force du frein, c'est l'espèce. Vous avez cru rendre vos peuples heureux en augmentant la somme des loix, tandis qu'il ne s'agissait que de diminuer celle des crimes. Et savez-vous qui les multiplie, ces crimes?... C'est l'informe constitution de votre gouvernement, d'où ils naissent en foule, d'où il n'est pas possible qu'ils ne fourmillent ... et plus que tout, la ridicule importance que des sots ont attachée aux petites choses. Vous avez commencé, dans les gouvernemens soumis à la morale chrétienne, par ériger en délits capitaux tout ce que condamnait cette doctrine; insensiblement vous avez fait des crimes de vos péchés; vous vous êtes crus en droit d'imiter la foudre que vous prêtiez à la justice divine, et vous avez pendu, roué effectivement, parce que vous imaginiez faussement que Dieu brûlait, noyait et punissait ces mêmes travers, chimériques au fond, et dont l'immensité de sa grandeur était bien loin de s'occuper. Presque toutes les loix de Saint-Louis ne sont fondées que sur ces sophismes.[17] On le sait, et l'on n'en revient pas, parce qu'il est bien plutôt fait de pendre ou de rouer des hommes, que d'étudier pourquoi on les condamne; l'un laisse en paix le suppôt de Thémis souper chez sa Phrinée ou son Antinoüs, l'autre le forcerait à passer dans l'étude des momens si chers au plaisir; et ne vaut-il pas bien mieux pendre ou rouer, pour son compte, une douzaine de malheureux dans sa vie, que de donner trois mois à son métier. Voilà comme vous avez multiplié les fers de vos citoyens, sans vous occuper jamais de ce qui pouvait les alléger, sans même réfléchir qu'ils pouvaient vivre exempts de toutes ces chaînes, et qu'il n'y avait que de la barbarie à les en charger.

L'univers entier se conduirait par une seule loi, si cette loi était bonne. Plus vous inclinez les branches d'un arbre, plus vous donnez de facilité pour en dérober les fruits; tenez-les droites et élevées, qu'il n'y ait plus qu'un seul moyen de les atteindre, vous diminuez le nombre des ravisseurs. Etablissez l'égalité des fortunes et des conditions, qu'il n'y ait d'unique propriétaire que l'état, qu'il donne à vie à chaque sujet tout ce qu'il lui faut pour être heureux, et tous les crimes dangereux disparaîtront, la constitution de Tamoé vous le prouve. Or, il n'est rien de petit qui ne puisse s'exécuter en grand. Supprimez, en un mot, la quantité de vos loix et vous amoindrirez nécessairement celle de vos crimes. N'ayez qu'une loi, il n'y aura plus qu'un seul crime; que cette loi soit dans la nature, qu'elle soit celle de la nature, vous aurez fort peu de criminels; regarde maintenant, jeune homme, considère avec moi lequel vaut mieux ou de chercher le moyen de punir beaucoup de crimes, ou de trouver celui de n'en faire naître aucun.—Zamé, dis-je au monarque, cette seule et respectable loi, dont vous parlez, s'outrage à tout instant; il n'y a pas de jour où, sur la surface de la terre, un être injuste ne fasse à son semblable ce qu'il serait bien fâché d'en souffrir.—Oui, me répondit le vieillard, parce qu'on laisse subsister l'intérêt que l'infracteur a de manquer à la loi; anéantissez cet intérêt, vous lui enlevez les moyens d'enfreindre; voilà la grande opération du législateur, voilà celle où je crois avoir réussi. Tant que Paul aura intérêt de voler Pierre, parce qu'il est moins riche que ce Pierre, quoiqu'il enfreigne la loi de la nature, en faisant une chose qu'il serait fâché que l'on lui fît, assurément il la fera; mais si je rends par mon système d'égalité Paul aussi riche que Pierre, n'ayant plus d'intérêt à le voler, Pierre ne sera plus troublé dans sa possession, ou il le sera sans doute beaucoup moins, ainsi du reste.—Il est, continuai-je d'objecter à Zamé, une sorte de perversité dans certains coeurs, qui ne se corrige point; beaucoup de gens font le mal sans intérêt. Il est reconnu aujourd'hui qu'il y a des hommes qui ne s'y livrent que par le seul charme de l'infraction. Tibère, Héliogabale, Andronic se souillèrent d'atrocités dont il ne leur revenait que le barbare plaisir de les commettre.—Ceci est un autre ordre de choses, dit Zamé; aucune loi ne contiendra les gens dont vous parlez, il faut même bien se garder d'en faire contre eux. Plus vous leur offrez de digues plus vous leur préparez de plaisir à les rompre; c'est, comme vous dites, l'infraction seule qui les amuse; peut-être ne se plongeraient-ils pas dans cette espèce de mal, s'ils ne le croyaient défendu.—Quelle loi les retiendra donc?— Voyez cet arbre, poursuivit Zamé, en m'en montrant un dont le tronc était plein de noeuds, croyez-vous qu'aucun effort puisse jamais redresser cette plante.—Non.—Il faut donc la laisser comme elle est; elle fait nombre et donne de l'ombrage; usons-en, et ne la regardons pas. Les gens dont vous me parlez sont rares. Ils ne m'inquiètent point, j'emploierais le sentiment, la délicatesse et l'honneur avec eux, ces freins seraient plus sûrs que ceux de la loi. J'essaierais encore de faire changer leur habitude de motifs, l'un ou l'autre de ces moyens réussiraient: croyez-moi, mon ami, j'ai trop étudié les hommes pour ne pas vous répondre qu'il n'est aucune sorte d'erreurs que je ne détourne ou n'anéantisse, sans jamais employer de punitions corporelles. Ce qui gêne ou moleste le physique n'est fait que pour les animaux; l'homme, ayant la raison au-dessus d'eux, ne doit être conduit que par elle, et ce puissant ressort mène à tout, il ne s'agit que de savoir le manier.[18]

Encore une fois, mon ami, poursuivit Zamé, ce n'est que du bonheur général qu'il faut que le législateur s'occupe, tel doit être son unique objet; s'il simplifie ses idées, ou qu'il les rapetisse en ne pensant qu'au particulier, il ne le fera qu'aux dépens de la chose principale, qu'il ne doit jamais perdre de vue, et il tombera dans le défaut de ses prédécesseurs.

Admettons un instant un État composé de quatre mille sujets, plus ou moins; il ne s'agit que d'un exemple: nommons-en la moitié les blancs, l'autre moitié les noirs; supposons à présent que les blancs placent injustement leur félicité dans une sorte d'oppression imposée aux noirs, que fera le législateur ordinaire? Il punira les blancs, afin de délivrer les noirs de l'oppression qu'ils endurent, et vous le verrez revenir de cette opération, se croyant plus grand qu'un Licurgue; il n'aura pourtant fait qu'une sottise; qu'importe au bien général que ce soient les noirs plutôt que les blancs qui soient heureux? Avant la punition que vient d'imposer cet imbécile, les blancs étaient les plus heureux; depuis sa punition, ce sont les noirs; son opération se réduit donc à rien, puisqu'il laisse les choses comme elles étaient auparavant. Ce qu'il faut qu'il fasse, et ce qu'il n'a certainement point fait, c'est de rendre les uns et les autres également heureux, et non pas les uns aux dépens des autres; or, pour y réussir, il faut qu'il approfondisse d'abord l'espèce d'oppression dont les blancs font leur félicité; et si, dans cette oppression qu'ils se plaisent à exercer, il n'y a pas, ainsi que cela arrive souvent, beaucoup de choses qui ne tiennent qu'à l'opinion, afin, si cela est, de conserver aux blancs, le plus que faire se pourra, de la chose qui les rend heureux; ensuite il fera comprendre aux noirs tout ce qu'il aura observé de chimérique dans l'oppression dont ils se plaignent; puis il conviendra avec eux de l'espèce de dédommagement qui pourrait leur rendre une partie du bonheur que leur enlève l'oppression des blancs, afin de conserver l'équilibre, puisque l'union ne peut avoir lieu; de là, il soumettra les blancs au dédommagement demandé par les noirs, et ne permettra dorénavant aux premiers cette oppression sur les seconds, qu'en l'acquittant par le dédommagement demandé; voilà, dès-lors, les quatre mille sujets heureux, puisque les blancs le sont par l'oppression où ils réduisent les noirs, et que ceux-là le deviennent par le dédommagement accordé à leur oppression; voilà donc, dis-je, tout le monde heureux, et personne de puni; voilà une sorte de malfaiteurs, une sorte de victimes aux malfaiteurs, et néanmoins tout le monde content. Si quelqu'un manque maintenant à la loi, la punition doit être égale; c'est-à-dire, que le noir doit être puni, si pour le dédommagement demandé, et qu'on lui donne, il ne souffre pas l'oppression du blanc, et celui-ci également puni, s'il n'accorde pas le dédommagement qui doit équivaloir à l'oppression dont il jouit; mais cette punition (dont la nécessité ne se présentera pas deux fois par siècle) n'est plus enjointe alors au particulier pour avoir grevé le particulier; ce qui est odieux. Il n'y a pas de justice à établir qu'il faille qu'un individu soit plus heureux que l'autre; mais la peine est alors portée contre l'infracteur de la loi qui établissait l'équilibre, et de ce moment elle est juste.

Il est parfaitement égal, en un mot, qu'un membre de la société soit plus heureux qu'un autre; ce qui est essentiel au bonheur général, c'est que tous deux soient aussi heureux qu'ils peuvent l'être; ainsi, le législateur ne doit pas punir l'un, de ce qu'il cherche à se rendre heureux aux dépens de l'autre, parce que l'homme, en cela, ne fait que suivre l'intention de la nature; mais il doit examiner si l'un de ces hommes ne sera pas également heureux, en cédant une légère portion de sa félicité à celui qui est tout-à-fait à plaindre; et si cela est, le législateur doit établir l'égalité mutant qu'il est possible, et condamner le plus heureux à remettre l'autre dans une situation moins triste que celle qui l'a forcé au crime.

Mais, continuons le tableau des injustices de vos loix: un homme, je le suppose, en maltraite un autre, puis convient avec le lézé d'un dédommagement; voilà l'égalité: l'un a les coups, l'autre a de moins l'argent qu'il a donné pour avoir appliqué les coups, les choses sont égales; chacun doit être content; cependant tout n'est pas fini: on n'en n'intente pas moins un procès à l'agresseur; et quoiqu'il n'ait plus aucune espèce de tort, quoiqu'il ait satisfait au seul qu'il ait eu, et qu'il ait satisfait au gré de l'offensé, on ne l'en poursuit pas moins sous le scandaleux et vain prétexte d'une réparation à la justice. N'est-ce donc pas une cruauté inouïe! Cet homme n'a fait qu'une faute, il ne doit qu'une réparation: ce que doit faire la justice, c'est d'avoir l'oeil à ce qu'il y satisfasse; dès qu'il l'a fait, les juges n'ont plus rien à voir; ce qu'ils disent, ce qu'ils font de plus, n'est qu'une vexation atroce sur le Citoyen, aux dépens de qui ils s'engraissent impunément, et contre laquelle la Nation entière doit se révolter[19].

Tous les autres délits s'expliqueraient par les mêmes principes, et peuvent être soumis tous au même examen, de quelque nature qu'ils soient; le meurtre même, le plus affreux de tous les crimes, celui qui rend l'homme plus féroce et plus dangereux que les bêtes, le meurtre s'est racheté chez tous les peuples de la terre, et se rachète encore dans les trois quarts de l'univers, pour une somme proportionnée à la qualité du mort[20]; les Nations sages n'imaginaient pas devoir imposer d'autre peine que celle qui peut être utile; elles rejetaient ce qui double le mal sans l'arrêter, et sur-tout sans le réparer.

Ayant soigneusement anéanti tout ce qui peut conduire au meurtre, poursuivit Zamé, j'ai bien peu d'exemples de ce forfait monstrueux dans mon isle; la punition où je le soumets est simple; elle remplit l'objet en séquestrant le coupable de la société, et n'a rien de contraire à la nature; le signalement du criminel est envoyé dans toutes les villes, avec défense exacte de l'y recevoir; je lui donne une pirogue où sont placés des vivres pour un mois; il y monte seul, en recevant l'ordre de s'éloigner et de ne jamais aborder dans l'isle sous peine de mort; il devient ce qu'il peut, j'en ai délivré ma patrie, et n'ai pas sa mort à me reprocher; c'est le seul crime qui soit puni de cette manière: tout ce qui est au-dessous ne vaut pas le sang d'un Citoyen, et je me garde bien de le répandre en dédommagement; j'aime mieux corriger que punir: l'un conserve l'homme et l'améliore, l'autre le perd sans lui être utile; je vous ai dit mes moyens, ils réussissent presque toujours: l'amour-propre est le sentiment le plus actif dans l'homme; on gagne tout en l'intéressant. Un des ressorts de ce sentiment, que j'ose me flatter d'avoir remué le plus adroitement, est celui qui tend à émouvoir le coeur de l'homme par la juste compensation des vices et des vertus: n'est-il pas affreux que, dans votre Europe, un homme qui a fait douze ou quinze belles actions, doive perdre la vie quand il a eu le malheur d'en faire une mauvaise, infiniment moins dangereuse souvent que n'ont été bonnes celles dont vous ne lui tenez aucun compte. Ici, toutes les belles actions du Citoyen sont récompensées: s'il a le malheur de devenir faible une fois en sa vie, on examine impartialement le mal et le bien, on les pèse avec équité, et si le bien l'emporte, il est absous. Croyez-le, la louange est douce, la récompense est flatteuse; tant que vous ne vous servirez pas d'elles pour mitiger les peines énormes qu'imposent vos loix, vous ne réussirez jamais à conduire comme il faut le Citoyen, et tous ne ferez que des injustices. Une autre atrocité de vos usages, est de poursuivre le criminel anciennement condamné pour une mauvaise action, quoiqu'il se soit corrigé, quoiqu'il ait mené depuis long-tems une vie régulière; cela est d'autant plus infâme, qu'alors le bien l'emporte sur le mal, que cela est très-rare, et que vous découragez totalement l'homme en lui apprenant que le repentir est inutile.

On me raconta dans mes voyages l'action d'un juge de votre Patrie, dont j'ai long-tems frémi; il fit, m'assura-t-on, enlever le coupable qu'il avait condamné, quinze ans après le jugement; ce malheureux, trouvé dans son asyle, était devenu un saint; le juge barbare ne le fit pas moins traîner au supplice ... et je me dis que ce juge était un scélérat qui aurait mérité une mort trois fois plus douloureuse que cette victime infortunée. Je me dis, que si le hasard le faisait prospérer, la Providence le culbuterait bientôt, et ce que je m'étais dit devint une prophétie: cet homme a été l'horreur et l'exécration des Français; trop heureux d'avoir conservé la vie qu'il avait cent fois mérité de perdre par une multitude de prévarications et d'autres horreurs aisées à présumer d'un monstre capable de celle que je cite, et dont la plus éclatante était d'avoir trahi l'État[21].

O bon jeune homme! continua Zamé, la science du législateur n'est pas de mettre un frein au vice; car il ne fait alors que donner plus d'ardeur au désir qu'on a de le rompre; si ce législateur est sage, il ne doit s'occuper, au contraire, qu'à en aplanir la route, qu'à la dégager de ses entraves, puisqu'il n'est malheureusement que trop vrai qu'elles seules composent une grande partie des charmes que l'homme trouve dans cette carrière; privé de cet attrait, il finit par s'en dégoûter; qu'on sème dans le même esprit quelques épines dans les sentiers de la vertu, l'homme finira par la préférer, par s'y porter naturellement, rien qu'en raison des difficultés dont on aurait eu l'art de la couvrir, et voilà ce que sentirent si bien les adroits législateurs de la Grèce; ils firent tourner au bonheur de leurs Concitoyens les vices qu'ils trouvèrent établis chez eux, l'attrait disparut avec la chaîne, et les Grecs devinrent vertueux seulement à cause de la peine qu'ils trouvèrent à l'être, et des facilités que leur offrait le vice.

L'art ne consiste donc qu'à bien connaître ses Concitoyens, et qu'à savoir profiter de leur faiblesse; on les mène alors où l'on veut; si la religion s'y oppose, le législateur doit en rompre le frein sans balancer: une religion n'est bonne qu'autant qu'elle s'accorde avec les loix, qu'autant qu'elle s'unit à elles pour composer le bonheur de l'homme. Si, pour parvenir à ce but, on se trouve forcé de changer les loix, et que la religion ne s'allie plus aux nouvelles, il faut rejeter cette religion[22]. La religion, en politique, n'est qu'un double emploi, elle n'est que l'étaie de la législation; elle doit lui céder incontestablement dans tous les cas. Licurgue et Solon faisaient parler les oracles à leur gré, et toujours à l'appui de leurs loix, aussi furent-elles long-tems respectées.... N'osant pas faire parler les dieux, mon ami, je les ai fait taire; je ne leur ai accordé d'autre culte que celui qui pouvait s'adapter à des loix faites pour le bonheur de ce peuple. J'ai osé croire inutile ou impie celui qui ne s'allierait pas au code qui devait constituer sa félicité. Bien éloigné de calquer mes loix sur les maximes erronées de la plupart des religions reçues, bien éloigné d'ériger en crimes les faiblesses de l'homme, si ridiculement menacées par les cultes barbares, j'ai cru que s'il existait réellement un Dieu, il était impossible qu'il punit ses créatures des défauts placés par sa main même; que pour composer un code raisonnable, je devais me régler sur sa justice et sur sa tolérance; que l'athéisme le plus décidé devenait mille fois préférable à l'admission d'un Dieu, dont le culte s'opposerait au bonheur de l'humanité, et qu'il y avait moins de danger à ne point croire à l'existence de ce Dieu, que d'en supposer un, ennemi de l'homme.

Mais une considération plus essentielle au législateur, une idée qu'il ne doit jamais perdre de vue en faisant ses loix, c'est le malheureux état de liens dans le quel est né l'homme. Avec quelle douceur ne doit-on pas corriger celui qui n'est pas libre, celui qui n'a fait le mal que parce qu'il lui devenait impossible de ne le pas faire. Si toutes nos actions sont une suite nécessaire de la première impulsion, si toutes dépendent de la construction de nos organes, du cours des liqueurs, du plus ou moins de ressort des esprits animaux, de l'air que nous respirons, des alimens qui nous sustentent; si toutes sont tellement liées au physique, que nous n'ayons pas même la possibilité du choix, la loi même la plus douce ne deviendra-t-elle pas tyrannique? Et le législateur, s'il est juste, devra-t-il faire autre chose que redresser l'infracteur ou l'éloigner de sa société? Quelle justice y aurait-il à le punir, dès que ce malheureux a été entraîné malgré lui? N'est-il pas barbare, n'est-il pas atroce de punir un homme d'un mal qu'il ne pouvait absolument éviter?

Supposons un oeuf placé sur un billard, et deux billes lancées par un aveugle: l'une dans sa course évite l'oeuf, l'autre le casse; est-ce la faute de la bille, est-ce la faute de l'aveugle qui a lancé la bille destructive de l'oeuf? L'aveugle est la nature, l'homme est la bille, l'oeuf cassé le crime commis. Regarde à présent, mon ami, de quelle équité sont les loix de ton Europe, et quelle attention doit avoir le législateur qui prétendra les réformer.

N'en doutons point, l'origine de nos passions, Et par conséquent la cause de tous nos travers, dépendent uniquement de notre constitution physique, et la différence entre l'honnête homme et le scélérat se démontrerait par l'anatomie, si cette science était ce qu'elle doit être; des organes plus ou moins délicats, des fibres plus ou moins sensibles, plus ou moins d'âcreté dans le fluide nerveux, des causes extérieures de tel ou tel genre, un régime de vie plus ou moins irritant; voilà ce qui nous ballotte sans cesse entre le vice et la vertu, comme un vaisseau sur les flots de la mer, tantôt évitant les écueils, tantôt échouant sur eux, faute de force pour s'en écarter; nous sommes comme ces instrumens, qui, formés dans une telle proportion, doivent rendre un son agréable, ou discord, contournés dans des proportions différentes, il n'y a rien de nous, rien à nous, tout est à la nature, et nous ne sommes jamais dans ses mains que l'aveugle instrument de ses caprices.

Dans cette différence si légère, eu égard au fond, si peu dépendante de nous, et qui pourtant, d'après l'opinion reçue, fait éprouver à l'homme de si grands biens ou de si grands maux, ne serait-il pas plus sage d'en revenir à l'opinion des philosophes de la secte d'Aristippe, qui soutenait que celui qui a commis une faute, telle grave qu'elle puisse être, est digne de pardon, parce que quiconque fait mal, ne l'a pas fait volontairement, mais y est forcé par la violence de ses passions; et que dans tel cas on ne doit ni haïr ni punir; qu'il faut se borner à instruire et à corriger doucement. Un de vos philosophes a dit: cela ne suffit pas, il faut des loix, elles sont nécessaires, si elles ne sont pas justes; et il n'a avancé qu'un sophisme; ce qui n'est pas juste n'est nullement nécessaire, il n'y a de vraiment nécessaire que ce qui est juste; d'ailleurs, l'essence de la loi est d'être juste; toute loi qui n'est que nécessaire, sans être juste, ne devient plus qu'une tyrannie.—Mais il faut bien, ô respectable vieillard, pris-je la liberté de dire, il faut bien cependant retrancher les criminels dès qu'ils sont reconnus dangereux.

Soit, répondit Zamé, mais il ne faut pas les punir, parce qu'on ne doit être puni qu'autant que l'on a été coupable, pouvant s'empêcher de le devenir, et que les criminels, nécessairement enchaînés par des loix supérieures de la nature, ont été coupables malgré eux. Retranchez-les donc en les bannissant, ou rendez-les meilleurs en les contraignant d'être utiles à ceux qu'ils ont offensés. Mais ne les jetez pas inhumainement dans ces cloaques empestés, où tout ce qui les entoure est si gangréné, qu'il devient incertain de savoir lequel achèvera de les corrompre plus vite, ou des exemples affreux reçus par ceux qui les dirigent, ou de l'endurcissement et de l'impénitence finale, dont leurs malheureux compagnons leur offrent le tableau.... Tuez-les encore moins, parce que le sang ne répare rien, parce qu'au lieu d'un crime commis en voilà tout d'un coup deux, et qu'il est impossible que ce qui offense la nature puisse jamais lui servir de réparation.

Si vous faites tant que d'appesantir sur le citoyen quelque chaîne avec le projet de le laisser dans la société, évitez bien que cette chaîne puisse le flétrir: en dégradant l'homme, vous irritez son coeur, vous aigrissez son esprit, vous avilissez son caractère; le mépris est d'un poids si cruel à l'homme, qu'il lui est arrivé mille fois de devenir violateur de la loi pour se venger d'en avoir été la victime; et tel n'est souvent conduit à l'échafaud que par le désespoir d'une première injustice[23].

Mais,mon ami, poursuivit ce grand homme en me serrant les mains, que de préjugés à vaincre pour arriver là! que d'opinions chimériques à détruire! que de systèmes absurdes à rejeter! que de philosophie à répandre sur les principes de l'administration!... Regarder comme tout simple une immensité de choses que vous êtes depuis si long-tems en possession de voir comme des crimes! quel travail!

O toi, qui tiens dans tes mains le sort de tes compatriotes, magistrat, prince, législateur, qui que tu sois enfin, n'use de l'autorité que te donne la loi, que pour en adoucir la rigueur; songe que c'est par la patience que l'agriculteur vient à bout d'améliorer un fruit sauvage; songe que la nature n'a rien fait d'inutile, et qu'il n'y a pas un seul homme sur la terre qui ne soit bon à quelque chose. La sévérité n'est que l'abus de la loi; c'est mépriser l'espèce humaine que de ne pas regarder l'honneur comme le seul frein qui doive la conduire, et la honte comme le seul châtiment qu'elle doive craindre. Vos malheureuses loix informes et barbares ne servent qu'à punir, et non à corriger; elles détruisent et ne créent rien; elles révoltent et ne ramènent point: or, n'espérez jamais avoir fait le moindre progrès dans la science de connaître et de conduire l'homme, qu'après la découverte des moyens qui le corrigeront sans le détruire, et qui le rendront meilleur sans le dégrader.

Le plus sûr est d'agir comme vous voyez que je l'ai fait; opposez-vous à ce que le crime puisse naître, et vous n'aurez plus besoin de loix.... Cessez de punir, autrement que par le ridicule, une foule d'écarts qui n'offensent en rien la société, et vos loix seront superflues.

Les loix, dit encore quelque part votre Montesquieu, sont un mauvais moyen pour changer les manières, les usages, et pour réprimer les passions; c'est par les exemples et par les récompenses, qu'il faut tâcher d'y parvenir. J'ajoute aux idées de ce grand homme, que la véritable façon de ramener à la vertu est d'en faire sentir tout le charme, et sur-tout la nécessité; il ne faut pas se contenter de crier aux hommes, que la vertu est belle, il faut savoir le leur prouver; il faut faire naître à leurs yeux des exemples qui les convainquent de ce qu'ils perdent en ne la pratiquant pas. Si vous voulez qu'on respecte les liens de la société, faites-en sentir et la valeur et la puissance; mais n'imaginez pas réussir en les brisant. Que ces réflexions doivent rendre circonspects sur le choix des punitions que l'on impose à celui qui s'est rendu coupable envers cette société: vos loix, au lieu de l'y ramener, l'en éloignent ou lui arrachent la vie, point de milieu.... Quelle intolérante et grossière bêtise! qu'il serait tems de la détruire! qu'il serait tems de la détester.

Homme vil et méprisable, Être abhorré de ton espèce, toi qui n'es né que pour lui servir de bourreau, homme effroyable, enfin, qui prétends que des chaînes ou des gibets sont des argumens sans réplique; toi qui ressemble à cet insensé, brûlant sa maison en décadence au lieu de la réparer, quand cesseras-tu de croire qu'il n'y a rien de si beaux que tes loix, rien de si sublime que leurs effets! Renonce à ces préjugés fâcheux qui n'ont encore servi qu'à te souiller inutilement des larmes et du sang de tes concitoyens; ose livrer la nature à elle-même; t'es-tu jamais repenti de lui avoir accordé ta confiance? Ce peuplier majestueux qui élève sa tête orgueilleuse dans les unes, est-il moins beau, moins fier, que ces chétifs arbustes que ta main courbe sous les règles de l'art; et ces enfans que tu nommes sauvages, abandonnés comme les autres animaux, qui se traînent comme eux vers le sein de leur mère, quand se fait sentir le besoin, sont-ils moins frais, moins vigoureux, moins sains que ces frêles nourrissons de ta Patrie, auxquels il semble que tu veuilles faire sentir, dès qu'ils voient le jour, qu'ils ne sont nés que pour porter des fers? Que gagnes-tu enfin à grever la nature? Elle n'est jamais ni plus belle, ni plus grande que lorsqu'elle s'échappe de tes dignes; et ces arts, que tu chéris, que tu recherches, que tu honores, ces arts ne sont vraiment sublimes, que quand ils imitent mieux les désordres de cette nature que tes absurdités captivent; laisse-là donc à ses caprices, et n'imagine pas la retenir par tes vaines loix; elle les franchira toujours dès que les siennes l'exigeront, et tu deviendras comme tout ce qui t'enchaîne, le vil jouet de ses savans écarts.

Grand homme! m'écriai-je dans l'enthousiasme, l'univers devrait être éclairé par vous; heureux, cent fois heureux les citoyens de cette isle, et mille fois plus fortunés encore les législateurs qui sauront se modeler sur vous. Combien Platon avait raison de dire, que les États ne pouvaient être heureux qu'autant qu'ils auraient des philosophes pour rois, ou que les rois seraient philosophes. Mon ami, me répondit Zamé, tu me flattes, et je ne veux pas l'être: puisque tu t'es servi pour me louer du mot d'un philosophe, laisse-moi te prouver ton tort par le mot d'un autre.... Solon ayant parlé avec fermeté à Crésus, roi de Lidie, qui avait fait éclater sa magnificence aux yeux de ce législateur, et qui n'en avait reçu que des avis durs, Solon, dis-je, fut blâmé par Ésope le fabuliste: Ami, lui dit le Poëte, il faut, ou n'approcher jamais la personne des rois, ou ne leur dire que des choses flatteuses.—Dis plutôt, répondit Solon, qu'il faut, ou ne les point approcher, ou ne leur dire que des choses utiles.

Nous rentrâmes. Zamé me préparait un nouveau spectacle: venez, me dit-il, je vous ai fait voir d'abord nos femmes seules, ensuite nos jeunes hommes, venez les examiner maintenant ensemble. On ouvrit un vaste salon, et je vis les cinquante plus belles femmes de la capitale réunies à un pareil nombre de jeunes gens également choisis à la supériorité de la taille et de la figure. Il n'y a que des époux dans ce que vous voyez, me dit Zamé, on n'entre jamais dans le monde qu'avec ce titre, je vous l'ai dit; mais, quoique tout ce qui est ici soit marié, il n'y a pourtant aucun ménage de réuni, aucun mari n'y a sa femme, aucune femme n'y voit son époux; j'ai cru qu'ainsi vous jugeriez mieux nos moeurs. On servit quelques mets simples et frais à cet aimable cercle, ensuite chacun développa ses talens, on joua de quelques instrumens inconnus parmi nous, et que ce peuple avait avant sa civilisation; les uns ressemblaient à la guitare, d'autres à la flûte; leur musique, peu variée dans ses tons, ne me parut point agréable. Zamé ne leur avait donné aucune notion de la nôtre: je crains, me dit-il, que la musique ne soit plus faite pour amollir et corrompre l'âme, que pour l'élever, et nous évitons avec soin ici tout ce qui peut énerver les moeurs; je leur ai trouvé ces instrumens, je les leur laisse; je n'innoverai rien sur cette partie.

Après le concert, les deux sexes se mêlèrent, exécutèrent ensemble plusieurs danses et plusieurs jeux, où la pudeur, la retenue la plus exacte régnèrent constamment. Pas un geste, pas un regard, pas un mouvement qui pût scandaliser le spectateur même le plus sévère; je doute qu'une pareille assemblée se fût maintenue en Europe dans des bornes aussi étroites: point de ces serremens de mains indécens, de ces oeillades obscènes, de ces mouvemens de genoux, de ces mots bas et à double entente, de ces éclats de rire, de toutes ces choses enfin si en usage dans vos sociétés corrompues, qui en prouvent à-la-fois le mauvais ton, l'impudence, le désordre et la dépravation.

Avec si peu de liens, dis-je à Zamé, avec des loix si douces, aussi peu de freins religieux, comment ne règne-t-il pas dans ce cercle plus de licence que je n'en vois?—C'est que les loix et les religions gênent les moeurs, dit Zamé, mais ne les épurent point; il ne faut ni fers, ni bourreaux, ni dogmes, ni temples, pour faire un honnête homme; ces moyens donnent des hypocrites et des scélérats; ils n'ont jamais fait naître une vertu. Les époux de ces femmes, quoiqu'absens, sont les amis de ces jeunes gens; ils sont heureux avec leurs femmes; ils les adorent, elles sont de leur choix, pourquoi voudriez-vous que ceux-ci, qui ont également des femmes qu'ils aiment, allassent troubler la félicité de leurs frères? Ils se feroient à-la-fois trois ennemis: la femme qu'ils attaqueraient, la leur qu'ils plongeraient dans le désespoir, et leurs amis qu'ils outrageraient. J'ai fait entrer ces principes dans l'éducation; ils les sucent avec le lait; je les meus dans leurs coeurs par les grands ressorts du sentiment et de la délicatesse. Qu'y feraient de plus la religion et les loix? Une de vos chimères à vous autres Européens, est d'imaginer que l'homme, semblable à la bête féroce, ne se conduit jamais qu'avec des chaînes; aussi êtes-vous parvenus, au moyen de ces effrayans systèmes, à le rendre aussi méchant qu'il peut l'être, en ajoutant au désir naturel du vice celui plus vif encore de briser un frein. Rien ne flatte et n'honore ces jeunes gens comme d'être admis chez moi; j'ai saisi cette faiblesse, j'en ai profité: tout est à prendre dans le coeur de l'homme, quand on veut se mêler de le conduire; ce qui fait que si peu de gens y réussissent, c'est que la moitié de ceux qui l'entreprennent sont des sots, et que le reste, avec un peu plus de bon sens, peut-être, ne peut atteindre à cette connaissance essentielle au coeur humain, sans laquelle on ne fait que des absurdités ou des choses de règle; car la règle est le grand cheval de bataille des imbéciles; ils s'imaginent stupidement qu'une même chose doit convenir à tout le monde, quoiqu'il n'y ait pas deux caractères de semblables, ne voulant pas prendre la peine d'examiner, de ne prescrire à chacun que ce qui lui convient; et ils ne réfléchissent pas qu'ils traiteraient eux-mêmes d'inepte un médecin qui n'ordonnerait comme eux que le même remède pour toutes sortes de maux; qu'un moyen soit propice ou non, qu'il; doive ou non réussir, leur épaisse conscience est calme toutes les fois que la règle est suivie, et qu'ils se sont comportés dans la règle.

Si un seul de ces jeunes gens, poursuivit Zamé, venait à manquer à ce qu'il doit, il serait exclus de ma maison, et cette crainte les contient d'autant plus, que j'ai su me faire aimer d'eux; ils frémiraient de me déplaire.—Mais lorsque vous ne les voyez pas?—Alors ils sont chez eux, les époux se retrouvent unis, le soin de leur ménage les occupe, et ils ne pensent pas à se trahir. Ce n'est pas, continua ce Prince, qu'il n'y ait quelques exemples d'adultères; mais ils sont rares, ils sont cachés, ils n'entraînent ni trouble, ni scandale. Si les choses vont plus loin, si je soupçonne qu'il puisse résulter quelques suites fâcheuses, je sépare les coupables, je les fais habiter des villes différentes, et, dans des cas plus graves encore, je les bannis pour quelque tems de Tamoé; cette punition de l'exil, annexée aux crimes capitaux, les effraie à tel point qu'ils évitent avec le plus grand soin tout ce qui peut mettre dans le cas du crime pour lequel elle est imposée. Quand vous voulez régir une Nation, commencez par infliger des peines douces, et vous n'aurez pas besoin d'en avoir de sanglantes.

Après quelques heures d'amusemens honnêtes et chastes, c'en est assez, me dit Zamé, je vais renvoyer ces époux à leur société, où ils sont attendus ... sans jalousie, j'en suis bien sûr, mais peut-être avec un peu d'impatience. Il fit un geste accompagné d'un sourire, tout cessa dès le même instant, on partit ... mais on ne s'accompagna point, on n'offrit point de bras, on ne chercha rien de ce qui peut donner la moindre atteinte à la décence, les jeunes femmes se retirèrent d'abord; une heure après les jeunes hommes partirent, et tous en comblant de remercîmens et de bénédictions le bon père, qui les aimait assez pour descendre ainsi dans les détails de leurs petits plaisirs.

Levez-vous demain de bonne heure, me dit Zamé, je veux vous mener dans mon temple, je veux vous faire voir la magnificence, la pompe, le luxe même de mes cérémonies religieuses. Je veux que vous voyiez mes prêtres en fonctions.—Ah! répondis-je, c'est une des choses que j'ai le plus désiré; la religion d'un tel peuple doit être aussi pure que ses moeurs, et je brûle déjà d'aller adorer Dieu au milieu de vous. Mais vous m'annoncez du faste.... O grand homme! je crois vous connaître assez pour être sûr qu'il en régnera peu dans vos cérémonies.—Vous en jugerez, me dit Zamé, je vous attends une heure avant le lever du soleil.

Je me rendis a la porte de la chambre de notre philosophe le lendemain à l'heure indiquée, il m'attendait; sa femme, ses enfans, et Zilia sa belle-fille, tout était autour de sa personne chérie. Allons, nous dit Zamé, l'astre est prêt à paraître, ils doivent nous attendre. Nous traversâmes la ville; tous les habitants étaient déjà à leurs portes; ils se joignaient à nous à mesure que nous passions; nous avançâmes ainsi jusqu'aux maisons où s'élevait la jeunesse, et dont je vous parlerai bientôt. Les enfans des deux sexes en sortirent en foule; conduits par des vieillards, ils nous suivirent également; nous marchâmes dans cet ordre jusqu'au pied d'une montagne qui se trouvait à l'orient derrière la ville; Zamé monta jusqu'au sommet, je l'y suivis avec sa famille, le peuple nous environna ... le plus grand silence s'observait ... enfin l'astre parut.... A l'instant toutes les têtes se prosternèrent, toutes les mains s'élevèrent aux cieux, on eût dit que leurs âmes y volaient également.

«O souverain éternel, dit Zamé, daigne accepter l'hommage profond d'un peuple qui t'adore.... Astre brillant, ce n'est pas à toi que nos voeux s'adressent, c'est à celui qui te meut, et qui t'a créé; ta beauté nous rappelle son image ... tes sublimes opérations sa puissance.... Porte-lui nos respects et nos voeux; qu'il daigne nous protéger tant que sa bonté nous laisse ici bas; qu'il veuille nous réunir à lui quand il lui plaira de nous dissoudre;... qu'il dirige nos pensées, qu'il règle nos actions, qu'il épure nos coeurs, et que les sentimens de respect et d'amour qu'il nous inspire, puissent être agrées de sa grandeur, et se déposer au pied de sa gloire.»

Alors Zamé, qui s'était tenu droit, les mains élevées, pendant que tous étaient à genoux, se précipita la face contre terre, adora un instant en silence, se releva les yeux humides de pleurs, et ramena le peuple dans sa ville.

Voilà tout, me dit-il dès que nous fûmes rentrés; croyez-vous que le Dieu de l'univers puisse exiger davantage de nous? Est-il besoin de l'enfermer dans des temples pour l'adorer et le servir? Il ne faut qu'observer une de ses plus belles opérations, afin que cet acte de sa sublime grandeur développe en nous des sentimens d'amour et de reconnaissance, voilà pourquoi j'ai choisi l'instant et le lieu que vous venez de voir.... La pompe de la nature, mon ami, voilà la seule que je me sois permise, cet hommage est le seul qui plaise à l'Éternel; les cérémonies de la religion ne furent inventées que pour fixer les yeux au défaut du coeur; celles que je leur substitue fixent le coeur en charmant les yeux, cela n'est-il pas préférable? J'ai, d'ailleurs, voulu conserver quelque chose de l'ancien culte, cette politique était nécessaire: les habitans de Tamoé adoraient le Soleil autrefois, je n'ai fait que rectifier leur système, en leur prouvant qu'ils se trompaient de l'ouvrage à l'ouvrier, que le Soleil était la chose mue, et que c'était au moteur que devait s'adresser le cube. Ils m'ont compris, ils m'ont goûté, et sans presque rien changer à leur usage, de payens qu'ils étaient, j'en ai fait un peuple pieux et adorateur de l'Être Suprême. Crois-tu que tes dogmes absurdes, tes inintelligibles mystères, tes cérémonies idolâtres, pussent les rendre, ou plus heureux, ou meilleurs citoyens? T'imagines-tu que l'encens brûlé sur des autels de marbre vaille l'offrande de ces coeurs droits? A force de défigurer le culte de l'Éternel, vos religions d'Europe l'ont anéanti. Lorsque j'entre dans une de vos églises, je la trouve si prodigieusement remplie de saints, de reliques, de momeries de toute espèce, que la chose du monde que j'ai le plus de peine à y reconnaître est le Dieu que j'y désire; pour le trouver, je suis obligé de descendre dans mon coeur: hélas! me dis-je alors, puisque voilà le lieu qui me le rappelle, ce n'est que là que je dois le chercher, c'est la seule hostie que je doive mettre à ses pieds; les beautés de la nature en raniment l'idée dans ce sanctuaire, je les contemple pour m'édifier, je les observe pour m'attendrir, et je m'en tiens là; si je n'en ai pas fait assez, la bonté de ce Dieu m'assure qu'il me pardonnera; c'est pour le mieux servir que je dégage son culte et son image du fatras d'absurdités que les hommes croient nécessaires. J'éloigne tout ce qui m'empêcherait de me remplir de sa sublime essence; je foule aux pieds tout ce qui prétend partager son immensité; je l'aimerais moins s'il était moins unique et moins grand; si sa puissance se divisait, si elle se multipliait, si cet être simple, en un mot, devait s'honorer sous plusieurs, je ne verrais plus dans ce système effrayant et barbare qu'un assemblage informe d'erreurs et d'impiétés, dont l'horrible pensée dégradant l'Etre pur où s'adresse mon âme, le rendrait haïssable à mes yeux, au lieu de me le faire adorer. Quelle plus intime connaissance de ce bel Etre peuvent donc avoir ces hommes qui me parlent, et qui tous se donnent à moi pour des illuminés? Hélas! ils n'eurent de plus que l'envie d'abuser leurs semblables; est-ce un motif pour que je les écoute, moi, qui déteste la feinte et l'erreur; moi, qui n'ai travaillé toute ma vie qu'à guider ce bon peuple dans le chemin de la vertu et de la vérité?... «Souverain des Cieux, si je me trompe, tu jugeras mon coeur, et non pas mon esprit; tu sais que je suis faible, et par conséquent sujet à l'erreur; mais tu ne puniras point cette erreur, dès que sa source est dans la pureté, dans la sensibilité de mon âme: non, tu ne voudrais pas que celui qui n'a cherché qu'à te mieux adorer fût puni pour ne t'avoir pas adoré comme il faut.»

Viens, me dit Zamé, il est de bonne heure, ces braves enfans vont peut-être se recueillir un moment entr'eux. C'est leur usage dans ces jours de cérémonie, jours qu'ils désirent tous avec empressement, et que par cette grande raison je ne leur accorde que deux ou trois fois l'an. Je veux qu'ils les voient comme des jours de faveurs: plus je leur rends ces instans rares, plus ils les respectent; on méprise bientôt ce qu'on fait tous les jours. Suis moi; nous aurons le tems avant l'heure du repas, d'aller visiter les terres des environs de la ville.

Voilà leurs possessions, me dit Zamé, en me montrant de petits enclos séparés par des bayes toujours vertes et couvertes de fleurs: chacun a sa petite terre à part; c'est médiocre, mais c'est par cette médiocrité même que j'entretiens leur industrie; moins on en a, plus on est intéressé à le cultiver avec soin. Chacun a là ce qu'il faut pour nourrir et sa femme et lui; il est dans l'abondance s'il est bon travailleur, et les moins laborieux trouvent toujours leur nécessaire. Les enclos des célibataires, des veufs et des répudiés, sont moins considérables, et situés dans une autre partie, voisine du quartier qu'ils habitent.

Je n'ai qu'un domaine comme eux, poursuivit Zamé, et je n'en suis qu'usufruitier comme eux; mon territoire, ainsi que le leur, appartient à l'État. Ce sont parmi les personnes qui vivent seules, que je choisis ceux qui doivent le cultiver: ce sont les mêmes qui me soignent et me servent; n'ayant point de ménage, ils s'attachent avec plaisir à ma maison; ils sont sûrs d'y trouver jusqu'à la fin de leur vie la nourriture et le logement.

Des sentiers agréables et joliment bordés communiquaient dans chacune de ces possessions; je les trouvai toutes richement garnies des plus doux dons de la nature; j'y vis en abondance l'arbre du fruit à pain, qui leur donne une nourriture semblable à celle que nous formons avec nos farines, mais plus délicate et plus savoureuse. J'y observai toutes les autres productions de ces isles délicieuses du Sud, des cocotiers, des palmiers, etc.; pour racines, l'igname, une espèce de choux sauvage, particulière à cette isle, qu'ils apprêtent d'une manière fort agréable, en le mêlant à des noix de cocos, et plusieurs autres légumes apportés d'Europe, qui réussissent bien et qu'ils estiment beaucoup. Il y avait aussi quelques cannes à sucre, et ce même fruit, ressemblant au brugnon que le capitaine Cook trouva aux isles d'Amsterdam, et que les habitans de ces isles anglaises nommaient figheha.

Tels sont à-peu-près tous les alimens de ces peuples sages, sobres et tempérans; il y avait autrefois quelques quadrupèdes dans l'isle, dont le père de Zamé leur persuada d'éteindre la race, et ils ne touchent jamais aux oiseaux.

Avec ces objets et de l'eau excellente, ce peuple vit bien; sa santé est robuste, les jeunes gens y sont vigoureux et féconds, les vieillards sains et frais; leur vie se prolonge beaucoup au-delà du terme ordinaire, et ils sont heureux.

Tu vois la température de ce climat, me dit Zamé: elle est salubre, douce, égale; la végétation est forte, abondante et l'air presque toujours pur: ce que nous appelons nos hivers, consiste en quelques pluies, qui tombent dans les mois de juillet et d'août, mais qui ne rafraîchissent jamais l'air au point de nous obliger d'augmenter nos vêtemens, aussi les rhumes sont-ils absolument inconnus parmi nous: la nature n'y afflige nos habitans que de très-peu de maladies; la multitude d'années est le plus grand mal dont elle les accable, c'est presque la seule manière dont elle les tue. Tu connais nos arts, je ne t'en parlerai plus; nos sciences se réduisent également à bien peu de chose; cependant tous savent lire et écrire; ce fut un des soins de mon père, et comme un grand nombre d'entr'eux entendent et parlent le français, j'ai rapporté cinquante mille volumes, bien plus pour leur amusement que pour leur instruction; je les ai dispersés dans chaque ville et en ai formé des petites bibliothèques publiques, qu'ils fréquentent avec plaisir lorsque leurs occupations rurales leur en laissent le tems. Ils ont quelques connaissances d'astronomie, que j'ai rectifiées, quelques autres de médecine pratique, assez sûres pour l'usage de la vie, et que j'ai améliorées d'après les plus grands auteurs;ils connaissent l'architecture; ils ont de bons principes de maçonnerie, quelques idées de tactique, et de meilleures encore sur l'art de construire leurs bâtimens de mer. Quelques-uns parmi eux s'amusent à la poésie en langue du pays, et si tu l'entendais, tu y trouverais de la douceur, de l'agrément et de l'expression. A l'égard de la théologie et du droit, ils n'en ont, grâces au Ciel, aucune connaissance. Ce ne sera jamais que si l'envie me prend de les détruire, que je leur ouvrirai ce dédale d'erreurs, de platitudes et d'inutilités. Quand je voudrai qu'ils s'anéantissent, je créerai parmi eux des prêtres et des gens de robes, je permettrai aux uns de les entretenir de Dieu, aux autres de leur parler de Farinacius, de dresser des échafauds, d'en orner même les places de nos villes à demeure, ainsi que je l'ai observé dans quelques-unes de vos provinces, monumens éternels d'infamie, qui prouvent à la fois la cruauté des souverains qui le permettent, la brutale ineptie des magistrats qui l'érigent, et la stupidité du peuple qui le souffre.... Allons dîner, me dit Zamé, je vous ferai jouir ce soir d'un de leur talent, dont vous n'avez encore nulle idée.

Cet instant arrivé, Zamé me mena sur la place publique, j'en admirais les proportions. Tu ne loues pas son plus grand mérite, me dit-il; elle n'a jamais vu couler de sang, elle n'en sera jamais souillée. Nous avançâmes; je n'avais point encore connaissance du bâtiment régulier et parallèle a la maison de Zamé, l'un et l'autre ornant cette place.— Les deux étages du haut, me dit ce philosophe, sont des greniers publics; c'est le seul tribut que je leur impose, et j'y contribue comme eux. Chacun est obligé d'apporter annuellement dans ce magasin une légère portion du produit de sa terre, du nombre de celles qui se conservent; ils le retrouvent dans des tems de disette: j'ai toujours là de quoi nourrir deux ans la capitale; les autres villes en font autant; par ce moyen nous ne craignons jamais les mauvaises années, et comme nous n'avons point de monopoleurs, il est vraisemblable que nous ne mourrons jamais de faim. Le bas de cet édifice est une salle de spectacle. J'ai cru cet amusement, bien dirigé, nécessaire dans une nation. Les sages Chinois le pensaient de même; il y a plus de trois mille ans qu'ils le cultivent: les Grecs ne le connurent qu'après eux. Ce qui me surprend, c'est que Rome ne l'admît qu'au bout de quatre siècles, et que les Perses et les Indiens ne le connurent jamais. C'est pour vous fêter que se donne la pièce de ce soir. Entrons, vous allez voir le fruit que je recueille de cet honnête et instructif délassement.

Ce local était vaste, artistement distribué, et l'on voyait que le père de Zamé, qui l'avait construit, y avait réuni les usages de ces peuples aux nôtres; car il avait trouvé le goût des spectacles chez cette nation, quoique sauvage encore; il n'avait fait que l'améliorer et lui donner, autant qu'il avait pu, le genre d'utilité dont il l'avait cru susceptible. Tout était simple dans cet édifice; on n'y voyait que de l'élégance sans luxe, de la propreté sans faste. La salle contenait près de deux mille personnes; elle était absolument remplie: le théâtre, peu élevé, n'était occupé que par les acteurs. La belle Zilia, son mari, les filles de Zamé et quelques jeunes gens de la ville étaient chargés des differens personnages que nous allions voir en action. Le drame était dans leur langue, et de la composition même de Zamé, qui avait la bonté de m'expliquer les scènes à mesure qu'elles se jouaient. Il s'agissait d'une jeune épouse coupable d'une infidélité envers son mari, et punie de cette inconduite par tous les malheurs qui peuvent accabler une adultère.

Nous avions près de nous une très-jolie femme, dont je remarquai que les traits s'altéraient à mesure que l'intrigue avançait; tour-à-tour elle rougissait, elle pâlissait, sa gorge palpitait,... sa respiration devenait pressée; enfin les larmes coulèrent, et peu-à-peu sa douleur augmenta à un tel point, les efforts qu'elle fit pour se contenir l'affectèrent si vivement, que n'y pouvant plus résister,... elle se lève, donne des marques publiques de désespoir, s'arrache les cheveux et disparaît.

Eh bien! me dit Zamé, qui n'avait rien perdu de cette scène; eh bien! croyez-vous que la leçon agisse? Voilà les seules punitions nécessaires à un peuple sensible. Une femme également coupable, eût affronté le public en France: à peine se fut-elle doutée de ce qu'on lui adressait. A Siam on l'eût livrée à un éléphant. La tolérance de l'une de ces nations, sur un crime de cette nature, n'est-elle pas aussi dangereuse que la barbare sévérité de l'autre, et ne trouvez-vous pas ma leçon meilleure?

O homme sublime, m'écriai-je, quel usage sacré vous faites et de votre pouvoir et de votre esprit!...

Nous sûmes depuis que les suites de cette aventure touchante avaient été le raccommodement sincère de cette femme avec son mari, l'excuse et l'aveu de son inconduite, et l'exil volontaire de l'amant.

Que des moralistes viennent essayer de déclamer contre les spectacles, quand de tels fruits pourront s'y recueillir. Le but moral est le même chez vous, me dit Zamé, mais vos âmes émoussées par les répétitions continuelles de ces mêmes leçons, ne peuvent plus en être émues; vous en riez comme si elles vous étaient étrangères: votre impudence les absorbe, votre vanité s'oppose à ce que vous puissiez jamais imaginer que ce soit à vous qu'elles s'adressent, et vous repoussez ainsi, par orgueil, les traits dont le censeur ingénieux a voulu corriger vos moeurs.

Le lendemain, Zamé me conduisit aux maisons d'éducation: les deux logis qui les formaient étaient immenses, plus élevés que les autres et divisés en un grand nombre de chambres. Nous commençâmes par le pavillon des hommes; il y avait plus de deux mille élèves; ils y entraient à deux ans et en sortaient toujours à quinze, pour se marier. Cette brillante jeunesse était divisée en trois classes: on leur continuait jusqu'à six ans les soins qu'exige ce premier âge débile de l'homme; de six à douze, on commençait à sonder leurs dispositions; on réglait leurs occupations sur leurs goûts, en faisant toujours précéder l'étude de l'agriculture, la plus essentielle au genre de vie auquel ils étaient destinés. La troisième classe était formée des enfans de douze à quinze ans: seulement alors on leur apprenait les devoirs de l'homme en société, et ses rapports ave les êtres dont il tient le jour; ou leur parlait de Dieu, on leur inspirait de l'amour et de la reconnaissance pour cet être qui les avait créés, on les prévenait qu'ils approchaient de l'âge où on allait leur confier le sort d'une femme, ou leur faisait sentir ce qu'ils devaient à cette chère moitié de leur existence; on leur prouvait qu'ils ne pouvaient espérer de bonheur dans cette douce et charmante société, qu'autant qu'ils s'efforceraient d'en répandre sur celle qui la composait; qu'on n'avait point au monde d'amie plus sincère, de compagne plus tendre,... d'être, en un mot, plus lié à nous qu'une épouse; qu'il n'en était donc aucun qui méritât d'être traité avec plus de complaisance et plus de douceur; que ce sexe, naturellement timide et craintif, s'attache à l'époux qui l'aime et le protège, autant qu'il haït invinciblement celui qui abuse de son autorité pour le rendre malheureux, uniquement parce qu'il est le plus fort; que si nous avons en main cette autorité qui captive, bien mieux partagé que nous, il a les grâces et les attraits qui séduisent. Eh! qu'espéreriez-vous, leur dit-on, d'un coeur ulcéré par le dépit? Quelles mains essuyeraient vos larmes quand les chagrins vous oppresseraient? De qui recevriez-vous des secours quand la nature vous ferait sentir tous ses maux? Privé de la plus douce consolation que l'homme puisse avoir sur la terre, vous n'auriez plus dans votre maison qu'une esclave effrayée de vos paroles, intimidée de vos désirs, qu'un court instant peut-être assouplirait au joug, et qui, dans vos bras par contrainte, n'en sortirait qu'en vous détestant.

On leur faisait ensuite exercer sûr le terrain même, leurs connaissances d'agriculture; cela se trouvait d'ailleurs indispensable, puisque le domaine de cette grande maison n'était cultivé, n'était entretenu que par leurs jeunes mains.

On les occupait ensuite aux évolutions militaires, et on leur permettait par récréation, la danse, la lutte et généralement tous les jeux qui fortifient, qui dénouent la jeunesse et qui entretiennent et sa croissance et sa santé.

Avaient-ils atteint l'âge de devenir époux, la cérémonie était aussi simple que naturelle: le père et la mère du jeune homme le conduisaient à la maison d'éducation des filles, et lui laissait faire, devant tout le monde, le choix qu'il voulait; ce choix formé, s'il plaisait à la jeune fille, il avait pendant huit jours la permission de causer quelques heures avec sa future, devant les institutrices de la maison des filles; là ils achevaient de se connaître, l'un et l'autre, et de voir s'ils se conviendraient. S'il arrivait que l'un des deux voulût rompre, l'autre était obligé d'y consentir, parce qu'il n'est point de bonheur parfait en ce genre, s'il n'est mutuel; alors le choix se recommençait. L'accord devenait-il unanime, ils priaient les juges de la nation de les unir, le consentement accordé, ils levaient les mains au Ciel, se juraient devant Dieu d'être fidèles l'un à l'autre; de s'aider, de se secourir mutuellement dans leurs besoins, dans leurs travaux, dans leurs maladies, et de ne jamais user de la tolérance du divorce, qu'ils n'y fussent contraints l'un ou l'autre par d'indispensables raisons. Ces formalités remplies, on met les jeunes gens en possession d'une maison, ainsi que je l'ai dit, sous l'inspection, pendant deux ans, ou de leurs parens, ou de leurs voisins, et ils sont heureux.

Les directeurs du collège des hommes sont pris parmi le nombre des célibataires, qui, se vouant et s'attachant à cette maison, comme d'autres d'entr'eux le sont à celle du législateur, y trouvent de même leur nourriture et leur logement. On choisit dans cette classe les plus capables de cette auguste fonction, observant que la plus extrême régularité de moeurs soit la première de leurs qualités.

Les femmes qui dirigent la maison des jeunes filles où nous passâmes peu après, sont choisies parmi les épouses répudiées pour les seules causes de vieillesse ou d'infirmités; ces deux raisons ne pouvant nuire aux vertus nécessaires à l'emploi où on les destine.

Il y avait près de trois mille filles dans la maison que nous visitâmes; elles étaient de même divisées en trois classes d'âges, semblables à celles des garçons. L'éducation morale est la même; on retranche seulement de l'éducation physique des hommes, ce qui n'irait pas au sexe délicat que l'on élève ici; on y substitue les travaux de l'aiguille, de l'art de préparer les mets qui sont en usage chez eux, et de l'habillement. Les femmes seules à Tamoé se mêlent de cette partie; elles font leurs vêtemens et ceux de leurs époux; les habits de la maison d'éducation des hommes se font dans celle des filles, les veuves ou les répudiées font ceux des célibataires.

C'est une folie d'imaginer qu'il faille plus de choses que vous n'en voyez à l'éducation des enfans, me dit Zamé; cultivez leur goût et leurs inclinations, ne leur apprenez sur-tout que ce qui est nécessaire, n'ayez avec eux d'autre frein que l'honneur, d'autre aiguillon que la gloire, d'autres peines que quelques privations, par ces sages procédés, continua-t-il, on ménage, ces plantes délicates et précieuses tout en les cultivant; on ne les énerve pas, on ne les accoutume pas à se blaser aux punitions, et on n'éteint pas leur sensibilité. Les poulains les plus difficiles et les plus fougueux, disait Thémistocle, deviennent les meilleurs chevaux quand un bon Ecuyer les dresse. Cette jeune semence est l'espoir et le soutien de l'État, jugez si nos soins se tournent vers elle.

Il y a dans chacune de ces maisons, poursuivit Zamé, cinquante chambres destinées pour les vieillards, veufs, infirmes ou célibataires. Les vieux hommes qui ne peuvent plus soigner la portion de bien que leur confie l'état, qui ne se sont point remariés, ou qui sont devenus veufs de leur seconde femme, ou ceux qui dans le même cas de vieillesse ne se sont point mariés du tout, ont dans la maison d'éducation masculine un logement assuré pour le reste de leurs jours. Ils vivent des fonds de cette maison, et sont servis par les jeunes élèves, afin d'accoutumer ceux-ci au respect et aux soins qu'ils doivent à la vieillesse. Le même arrangement existe pour les femmes. Le surplus de l'un et l'autre sexe, s'il y en a, trouve un asyle dans ma maison. Mon ami, j'aime mieux cela qu'une salle de bal ou de concert; je jette sur ces respectables asyles un coup-d'oeil de satisfaction, bien plus vif que si ces édifices, ouvrage du luxe et de la magnificence, n'étaient bâtis que pour des rendez-vous de chasse, des galeries de tableaux ou des muséums.

Permettez-moi, lui dis-je, une question: je ne vois pas bien comment vivent vos artisans, vos manufacturiers; comment se fait dans la nation le commerce intérieur de nécessité.

Rien de plus simple, me répondit le chef de ce peuple heureux, nous .avons des ouvriers de deux espèces; ceux qui ne sont que momentanés, tels que les architectes, les maçons, les menuisiers, etc., et ceux qui sont toujours en activité, tels que les des manufactures, etc. Les premiers ont des terres comme les autres citoyens, et pendant que l'État les employe, il est chargé de faire cultiver leurs biens et de leur en rassembler les fruits chez eux, afin que ces ouvriers se trouvent débarrassés de tous soins lors de leurs travaux. Les mains employées à cela, sont celles des célibataires. Ceci demande quelques éclaircissemens.

Il exista dans tous les siècles et dans tous les pays, une classe d'hommes qui, peu propre aux douceurs de l'hymen, et redoutant ses noeuds par des raisons ou morales ou physiques, préfèrent de vivre seuls aux délices d'avoir une compagne; cette classe était si nombreuse à Rome, qu'Auguste fut obligé de faire, pour l'amoindrir, une loi connue sous le nom de Popea. Tamoé, moins fameuse que la république qui subjugua l'univers, a pourtant des célibataires comme elle, mais nous n'avons point fait de loix contr'eux. On obtient aisément ici la permission de ne point se marier, aux conditions de servir la patrie dans toutes les corvées publiques. Cléarque, disciple d'Aristote, nous apprend qu'en Laconie, la punition de ces hommes impropres au mariage, était d'être fouettés nuds par des femmes, pendant qu'ils tournaient autour d'un autel; à quoi cela pouvait-il servir[24]? Toujours occupé de retrancher ce qui me semble inutile, et de le remplacer par des choses dont il peut résulter quelque bien, je n'impose aux célibataires d'autre peine que d'aider l'État de leurs bras, puisqu'ils ne le peuvent en lui donnant des sujets. On leur fournit une maison et un petit bien dans un quartier qui leur est affecté, et là ils vivent comme ils l'entendent, seulement obligés à cultiver les terres de ceux que l'État employe, ils le savent, ils s'y soumettent et ne croyent pas payer trop cher ainsi la liberté qu'ils désirent. Vous savez que ce sont également eux qui entretiennent mes domaines, qui soulagent les vieillards, les infirmes, qui président aux écoles, et qui sont de même chargés de l'entretien, de la réparation des chemins, des plantations publiques, et généralement de tous les ouvrages pénibles, indispensables dans une nation, et voilà comme je tâche de profiter des défauts ou des vices pour les rendre le plus utile possible au reste des citoyens. J'ai cru que tel était le but de tout législateur, et j'y vise autant que je peux.

A l'égard des ouvriers employés aux manufactures, et dont les mains toujours agissantes, ne peuvent, dans aucun cas, cultiver des terres, ils sont nourris du produit de leurs oeuvres; celui qui veut l'étoffe d'un vêtement, porte la matière recueillie dans son bien au manufacturier, qui l'emploie, le rend au propriétaire et en reçoit en retour une certaine quantité de fruits ou de légumes, prescrite et plus que suffisante à sa nourriture.

Il me restait à acquérir quelques notions sur la manière dont les procès s'arrangeaient entre citoyens. Quelques précautions qu'on eût prises pour les empêcher de naître, il était difficile qu'il n'y en eût pas toujours quelques-uns.

Tous les délits, me dit Zamé, se réduisent ici à trois ou quatre, dont le principal est le défaut de soins dans l'administration des biens confiés. La peine, je vous l'ai dit, est d'être placé dans un moins grand et d'une culture infiniment plus difficile. Je vous ai prouvé que la constitution de l'État anéantissait absolument le vol, le viol et l'inceste. Nous n'entendons jamais parler de ces horreurs; elles sont inconnues pour nous. L'adultère est très-rare dans notre pays: je vous ai dit mes moyens pour le réprimer; vous avez vu l'effet de l'un d'eux. Nous avons détruit la pédérastie à force de la ridiculiser: si la honte dont on couvre ceux qui peuvent s'y livrer encore, ne les ramène pas, on les rend utiles; on les emploie; sur eux seuls retombe tout le faix du plus rude travail des célibataires; cela les démasque et les corrige sans les enfermer ou les faire rôtir: ce qui est absurde et barbare, et ce qui n'en a jamais corrigé un seul.

Les autres discussions qui peuvent s'élever parmi les citoyens n'ont donc plus d'autres causes que l'humeur qui peut naître dans les ménages, et la permission du divorce diminue beaucoup ces motifs: dès qu'il est prouvé qu'on ne peut plus vivre ensemble, on se sépare. Chacun est sûr de trouver encore hors de sa maison une subsistance assurée, un autre hymen s'il le désire, moyennant tout se passe à l'amiable; tout cela pourtant n'empêche pas de légères discussions; il y en a. Huit vieillards m'assistent régulièrement dans la fonction de les examiner; ils s'assemblent chez moi trois fois la semaine: nous voyons les affaires courantes, nous les décidons entre nous, et l'arrêt se prononce au nom de l'État. Si on en appelle, nous revoyons deux fois; à la troisième, on n'en revient plus, et l'État vous oblige à passer condamnation; car l'État est tout ici; c'est l'État qui nourrit le citoyen, qui élève ses enfans, qui le soigne, qui le juge, qui le condamne, et je ne suis, de cet État, que le premier citoyen.

Nous n'admettons la peine de mort dans aucun cas. Je vous ai dit comme était traité le meurtre, seul crime qui pourrait être jugé digne de la mériter. Le coupable est abandonné à la justice du Ciel; lui seul en dispose à son gré. Il n'y en a encore eu que deux exemples sous la législature de mon père et la mienne. Cette nation, naturellement douce, n'aime pas à répandre le sang.

Notre entretien nous ayant mené à l'heure du dîné, nous revînmes.—Votre navire est prêt, me dit Zamé au sortir du repas; ses réparations sont faites, et je l'ai fait approvisionner de tous les rafraîchissemens que peut fournir notre isle; mais mon ami, poursuivit le philosophe, je vous ai demandé quinze jours; n'en voilà que cinq d'écoulés, j'exige de vous de prendre, pendant les dix qui nous restent, une connaissance plus exacte de notre isle; je voudrais que mon âge et mes affaires me permissent de vous accompagner.... Mon fils me remplacera; il vous expliquera mes opérations, il vous rendra compte de tout, comme moi-même.

Homme généreux, répondis-je, de toutes les obligations que je vous ai, la plus grande sans doute est la permission que vous voulez bien m'accorder; il m'est si doux de multiplier les occasions de vous admirer, que je regarde, comme une jouissance, chacune de celles qu'il vous plaît de m'offrir.—Zamé m'embrassa avec tendresse....

L'humanité perce à travers les plus brillantes vertus; l'homme qui a bien fait veut être loué, et peut-être ferait-il moins bien, s'il n'était pas certain de l'éloge.

Nous partîmes le lendemain de bonne-heure, Oraï, son frère, un de mes officiers et moi. Cette isle délicieuse est agréablement coupée par des canaux dont les rives sont ombragées de palmiers et de cocotiers, et l'on se rend, comme en Hollande, d'une ville a l'autre, dans des pirogues charmantes qui font environ deux lieues à l'heure; il y a de ces pirogues publiques qui appartiennent à l'État: celles-la sont conduites par les célibataires; d'autres sont aux familles, elles les conduisent elles-mêmes; il ne faut qu'une personne pour les gouverner. Ce fut ainsi que nous parcourûmes les autres villes de Tamoé, toutes, à fort-peu de choses près, aussi grandes et aussi peuplées que la capitale, construites toutes dans le même goût, et ayant toutes une place publique au centre, qui, au lieu de contenir, comme dans la capitale, le palais du législateur et les greniers, sont ornées de deux maisons d'éducation. Les magasins sont situés vers les extrémités de la ville, et simétrisent avec un autre grand édifice servant de retraite à ce surplus des vieillards que Zamé, dans sa ville, loge à côté de sa maison. Les autres sont, comme,dans la capitale, établis dans l'es chambres hautes des maisons des enfans, où ils ont, dans chaque, trente ou quarante logemens. Les célibataires et les répudiés de l'un et de l'autre sexe occupent par-tout, comme dans la capitale, un quartier aux environs duquel se trouvent leurs petites possessions séparées, qui suffisent à leur entretien, et ils sont également reçus dans les asyles destinés aux vieillards, quand ils deviennent hors d'état de cultiver la terre.

Par-tout enfin je vis un peuple laborieux, agriculteur, doux, sobre, sain et hospitalier; par-tout je vis des possessions riches et fécondes, nulle part l'image de la paresse ou de la misère, et par-tout la plus douce influence d'un gouvernement sage et tempéré.

Il n'y a ni bourg, ni hameau, ni maison séparée dans l'isle; Zamé a voulu que toutes les possessions d'une province fussent réunies dans une même enceinte, afin que l'oeil vigilant du commandant de la ville pût s'étendre avec moins de peine sur tous les sujets de la contrée. Le commandant est un vieillard qui répond de sa ville. Dans toutes est un officier semblable, représentant le chef, et ayant pour assesseurs deux autres vieillards comme lui, dont un toujours choisi parmi les célibataires, l'intention du gouvernement n'étant point qu'on regarde cette castre comme inférieure, mais seulement comme une classe de gens qui,ne pouvant être utile à la société d'une façon, la sert de son mieux d'une autre. Ils font corps dans l'État, me disait Oraï; ils en sont membres comme les autres, et mon père veut qu'ils aient part à l'administration.... Mais, dis-je à ce jeune homme, si le célibataire n'est dans cette classe que par des causes vicieuses?—Si ces vices sont publics, me répondit Oraï (car nous ne sévissons jamais que contre ceux-là); s'ils sont éclatans, sans doute le sujet coupable n'est point choisi pour régir la ville; mais s'il n'est célibataire que par des causes légitimes, il n'est point exclus de l'administration, ni de la direction des écoles, où vous avez vu que les place mon père. Ces commandans de ville, qui changent tous les ans, décident les affaires légères, et renvoyent les autres au chef auquel ils écrivent tous les jours. Ainsi que dans la capitale, la police la plus exacte règne dans toutes ces villes, sans qu'il soit besoin, pour la maintenir, d'une foule de scélérats, cent fois plus infectés que ceux qu'ils répriment, et qui, pour arrêter l'effet du vice, en multiplient la contagion[25]. Les habitans, toujours occupés, toujours obligés de l'être pour vivre, ne se livrent à aucuns des désordres où le luxe et la fainéantise les plongent dans nos villes d'Europe; ils se couchent de bonne-heure, afin d'être le lendemain au point du jour à la culture de leurs possessions. La saison n'exige-t-elle d'eux aucun de leurs soins agriculteurs, d'innocens plaisirs les retiennent alors auprès de leurs foyers. Ils se réunissent quelques ménages ensemble; ils dansent, ils font un peu de musique, ils causent de leurs affaires, s'entretiennent de leurs possessions y chérissent et respectent la vertu, s'excitent au culte qu'ils lui doivent, glorifient l'Éternel, bénissent leur gouvernement, et sont heureux.

Leur spectacle les amuse aussi pendant le tems des pluies; il y a, par-tout, comme dans la capitale, un endroit ménagé au-dessous des magasins, où ils se livrent à ce plaisir. Des vieillards composent les drames avec l'attention d'en rendre toujours la leçon utile au peuple, et rarement ils quittent la salle sans se sentir plus honnêtes-gens.

Rien en un mot ne me rappela l'âge d'or comme les moeurs douces et pures de ce bon peuple. Chacune de leurs maisons charmantes me parut le temple d'Astrée. Mes éloges, à mon retour, furent lé fruit de l'enthousiasme que venait de m'inspirer ce délicieux voyage, et j'assurai Zamé que, sans l'ardente passion dont j'étais dévoré, je lui demanderais, pour toute grâce, de finir mes jours près de lui.

Ce fut alors qu'il me demanda le sujet de mon trouble et de mes voyages; je lui racontai mon histoire, le conjurant de m'aider de ses conseils, et l'assurant que je ne voulais régler que sur eux le reste de ma destinée. Cet honnête homme plaignit mon Infortune; il y mit l'intérêt d'un père, il me fit d'excellentes leçons sur les écarts où m'entraînait la passion dont je n'étais plus maître, et finit par exiger de moi de retourner en France.

Vos recherches sont pénibles et infructueuses, me dit-il, on a pu vous tromper dans les renseignemens que l'on vous a donnés, il est même vraisemblable qu'on l'a fait; mais ces renseignemens fussent-ils vrais, quelle apparence de trouver une seule personne parmi cent millions d'êtres où vous projetez de la chercher? Vous y perdrez votre fortune,... votre santé, et vous ne réussirez point. Léonore, moins légère que vous, aura fait un calcul plus simple; elle aura senti que le point de réunion le plus naturel devait être dans votre patrie: soyez certain qu'elle y sera retournée, et que ce n'est qu'en France où vous devez espérer de la revoir un jour.

Je me soumis.... Je me jetai aux pieds de cet homme divin, et lui jurai de suivre ses conseils. Viens, me dit-il en me serrant entre ses bras et me relevant avec tendresse; viens, mon fils; avant de nous quitter, je veux te procurer un dernier amusément; suis moi.

C'était le spectacle d'un combat naval que Zamé voulait me donner. La belle Zilia, magnifiquement vêtue, était assise sur une espèce de trône placé sur la crête d'un rocher au milieu de la mer; elle était entourée de plusieurs femmes qui lui formaient un cortège; cent pirogues, chacune équipée de quatre rameurs, la défendaient, et cent autres de même force étaient disposées vis-à-vis pour l'enlever: Oraï commandait l'attaque, et son frère la défense. Toutes les barques fendent les flots au même signal, elles se mêlent, elles s'attaquent, elles se repoussent avec autant de grâces que de courage et de légèreté; plusieurs rameurs sont culbutés, quelques pirogues sont renversées, les défenseurs cèdent enfin, Oraï triomphe; il s'élance sur la pointe du rocher avec la rapidité de l'éclair, saisit sa charmante épouse, l'enlève, se précipite avec elle dans une pirogue, et revient au port, escorté de tous les combattans, au bruit de leurs éloges et de leurs cris de joie. Il y a dix jours qu'il n'a vu sa femme, me dit le bon Zamé; j'aiguillonne les plaisirs de la réunion par cette petite fête.... Demain, je suis grand-père.... Eh quoi? dis-je.... Non, me répondit le bon vieillard, les larmes aux yeux.... Vous voyez comme elle est jolie, et cependant son indifférence est extrême.... Il ne voulait pas se marier.—Et vous espérez?—Oui, reprit vivement Zamé, j'emploie le procédé de Lycurgue; on irrite par des difficultés, on aide à la nature, on la contraint à inspirer des désirs qui ne seraient jamais nés sans cela. La politique est certaine; vous avez vu comme il y allait avec ardeur: il ne l'aurait pas vue de deux mois s'il n'avait pas réussi, et si cette première victoire ne mène pas à l'autre, je lui rendrai si pénibles les moyens de la voir, j'enflammerai si bien ses désirs par des combats et des résistances perpétuelles, qu'il en deviendra amoureux malgré lui.—Mais, Zamé, un autre peut-être....—Non, si cela était, crois-tu que je ne la lui eusse pas donnée? Dégoût invincible pour le mariage,... peut-être d'autres fantaisies.... Ne connais-tu donc pas la nature? Ignores-tu ses caprices et ses inconséquences? Mais il en reviendra: ce qui s'y opposait est déjà vaincu; il ne s'agit plus que d'améliorer la direction des penchans, et mes moyens me répondent du succès. Et voilà comme ce philosophe, dans sa nation, comme dans sa famille, ne travaillant jamais que sur l'âme, parvenait à épurer ses concitoyens, à faire tourner leurs défauts même au profit de la société, et à leur inspirer, malgré eux, le goût des choses honnêtes, quelles que pussent être leurs dispositions ... ou plutôt, voilà comme il faisait naître le bien du sein même du mal, et comment peu-à-peu, et sans user de punitions, il faisait triompher la vertu, en n'employant jamais que les ressorts de la gloire et de la sensibilité.

Il faut nous séparer, mon ami, me dit le lendemain Zamé, en m'accompagnant vers mon vaisseau.... Je te le dis, pour que tu ne me l'apprennes pas.—O vénérable vieillard, quel instant affreux!... Après les sentimens que vous faites naître, il est bien difficile d'en soutenir l'idée.—Tu te souviendras de moi, me dit cet honnête homme en me pressant sur son sein;... tu te rappelleras quelquefois que tu possèdes un ami au bout de la terre ... tu te diras: j'ai vu un peuple doux, sensible, vertueux sans loix, pieux sans religion; il est dirigé par un homme qui m'aime, et j'y trouverai un asyle dans tous les tems de ma vie.... J'embrassai ce respectable ami; il me devenait impossible de m'arracher de ses bras.... Ecoute, me dit Zamé avec l'émotion de l'enthousiasme, tu es sans doute le dernier français que je verrai de ma vie.... Sainville, je voudrois tenir encore à cette nation qui m'a donné le jour.... O mon ami! écoute un secret que je n'ai voulu dévoiler qu'à l'époque de notre séparation: l'étude profonde que j'ai faite de tous les gouvernemens de la terre, et particulièrement de celui sous lequel tu vis, m'a presque donné l'art de la prophétie. En examinant bien un peuple, en suivant avec soin son histoire, depuis qu'il joue un rôle sur la surface du globe, on peut facilement prévoir ce qu'il deviendra. O Sainville, une grande révolution se prépare dans ta patrie; les crimes de vos souverains, leurs cruelles exactions, leurs débauches et leur ineptie ont lassé la France; elle est excédée du despotisme, elle est à la veille d'en briser les fers. Redevenue libre, cette fière partie de l'Europe honorera de son alliance tous les peuples qui se gouverneront comme elle.... Mon ami, l'histoire de la dynastie des rois de Tamoé ne sera pas longue.... Mon fils ne me succédera jamais; il ne faut point de rois à cette nation-ci: les perpétuer dans son sein serait lui préparer des chaînes; elle a eu besoin d'un législateur, mes devoirs sont remplis. A ma mort, les habitans de cette isle heureuse jouiront des douceurs d'un gouvernement libre et républicain. Je les y prépare; ce que leur destinaient les vertus d'un père que j'ai lâché d'imiter, les crimes, les atrocités de vos souverains le destinent de même à la France. Rendus égaux, et rendus tous deux libres, quoique par des moyens différens, les peuples de ta patrie et ceux de la mienne se ressembleront; je le demande alors, mon ami, ta médiation près des Français pour l'alliance que je désire.... Me promets-tu d'accomplir mes voeux....—O respectable ami, je vous le jure, répondis-je en larmes; ces deux nations sont dignes l'une de l'autre, d'éternels liens doivent les unir.... Je meurs content, s'écria Zamé, et cet heureux espoir va me faire descendre en paix dans la tombe. Viens, mon fils, viens, continua-t-il en m'entraînant dans la chambre du vaisseau;... viens, nous nous ferons là nos derniers adieux.... Oh Ciel! qu'aperçois-je, dis-je en voyant la table couverte de lingots d'or.... Zamé, que voulez-vous faire?... Votre ami n'a besoin que de votre tendresse; il n'aspire qu'à s'en rendre digne.—Peux-tu m'empêcher de t'offrir de la terre de Tamoé, me répondit ce mortel tant fait pour être chéri? C'est pour que tu te souviennes de ses productions.—O grand homme!... et j'arrosais ses genoux de mes larmes,... et je me précipitais à ses pieds, en le conjurant de reprendre son or, et de ne me laisser que son coeur.—Tu garderas l'un et l'autre, reprit Zamé en jetant ses bras autour de mon cou; tu l'aurais fait à ma place.... Il faut que je te quitte.... Mon âme se brise comme la tienne. Mon ami, il n'est pas vraisemblable que nous nous voyions jamais, mais il est sûr que nous nous aimerons toujours. Adieu.... En prononçant ces dernières paroles, Zamé s'élance, il disparaît, donne lui-même le signal du départ, et me laisse, inondé de mes larmes, absorbé de tous les sentimens d'une âme à la fois oppressée par la douleur et saisie de la plus profonde admiration[26].

Mon dessein étant de suivre le conseil de Zamé, nous reprimes la voûte que nous venions de faire, le vent servait mes intentions, et nous perdîmes bientôt Tamoé de vue.

Ma délicatesse souffrait de l'obligation d'emporter, comme malgré moi, de si puissans effets de la libéralité d'un ami. Quand je réfléchis pourtant que ce métal, si précieux pour nous, était nul aux yeux de ce peuple sage, je crus pouvoir apaiser mes regrets et ne plus m'occuper que des sentimens de reconnaissance que m'inspirait un bienfaiteur dont le souvenir ne s'éloignera jamais de ma pensée.

Notre voyage fut heureux, et nous revîmes Le Cap en assez peu de temps.

Je demandai à mes officiers, dès que nous l'aperçûmes, s'ils voulaient y prendre terre, ou s'ils aimaient autant me conduire tout de suite en France. Quoique le vaisseau fût à moi, je crus leur devoir cette politesse. Désirant tous de revoir leur patrie, ils préférèrent de me débarquer sur la côte de Bretagne, pour repasser de-là en Hollande, moyennant qu'une fois à Nantes, je leur laisserais le bâtiment pour retourner chez eux, où ils le vendraient à mon compte. Nous convînmes de tout de part et d'autre, et nous continuâmes de voguer; mais ma santé ne me permit pas de remplir la totalité du projet. A la hauteur du Cap-Vert, je me sentis dévoré d'une fièvre ardente, accompagnée de grands maux de coeur et d'estomac, qui me réduisirent bientôt à ne pouvoir plus sortir de mon lit. Cet accident me contraignît de relâcher à Cadix, où totalement dégoûté de la mer, je pris la résolution de regagner la France par terre, sitôt que je serois rétabli. Me voyant une fortune assez considérable pour pouvoir me passer de la faible somme que je pourrais retirer de mon navire, j'en fis présent à mes officiers; ils me comblèrent de remerciemens. Je n'avais eu qu'à me louer d'eux, ils devaient être contens de ma conduite à leur égard. Rien donc de ce qui détruit l'union entre les hommes ne s'étant élevé entre nous, il était tout simple que nous nous quittassions avec toutes les marques réciproques de la plus parfaite estime.

L'état dans lequel j'étais me retint huit à dix jours à Cadix; mais cet air ne me convenant point, je dirigeai mes pas vers Madrid, avec le projet d'y séjourner le temps nécessaire à reprendre totalement mes forces. Je me logeai, en arrivant, à l'hôtel Saint Sébastien, dans la rue de ce nom, chez des Milanais dont on m'avait vanté les soins envers les étrangers. J'y trouvai à la vérité une partie de ces soins, mais qu'ils devaient me coûter cher!

Hors d'état de vaquer à rien par moi-même, je priai l'hôte de me chercher deux domestiques; Français s'il était possible, et les plus honnêtes que faire se pourrait. Il m'amena, l'instant d'après, deux grands drôles bien tournés, dont l'un se dit de Paris et l'autre de Rouen, passés l'un et l'autre en Espagne avec des maîtres qui les avaient renvoyés, parce qu'ils avaient refusé de s'embarquer pour aller avec eux au Mexique, dont ils ne devaient pas revenir de long-tems, et dans ces tristes circonstances pour eux, ajoutaient-ils; ils cherchaient avec empressement quelqu'un qui voulût les ramener dans leur patrie. Me devenant impossible de prendre de plus grandes informations, je les crus, et les arrêtai sur-le-champ, bien résolu néanmoins à ne leur donner aucune confiance. Ils me servirent assez bien l'un et l'autre pendant ma convalescence, c'est-à-dire, environ quinze jours, au bout desquels mes forces revenant peu à peu, je commençai à m'occuper des petits détails de ma fortune. Mes yeux se tournèrent sur cette caisse de lingots, fruits précieux de l'amitié de Zamé, et s'inondèrent des larmes de ma reconnaissance, en examinant ces trésors. Comme ces lingots me parurent purs, entièrement dégagés des parties terreuses et fondus en barre, j'imaginai qu'ils ne pouvaient être le résultat d'une fouille faite pendant ma course dans l'intérieur des terres, mais bien plutôt le reste des trésors qui avaient servi à Zamé dans ses vingt années de voyage. Je n'avais point encore vidé la cassette; je le fis pour compter les lingots.... J'allais les estimer, lorsque je trouvai un papier au fond, où l'évaluation était faite, et qui m'apprit que j'en avais pour sept millions cinq cent soixante-dix mille livres, argent de France.... Juste Ciel, m'écriai-je, me voilà le plus riche particulier de l'Europe! O mon père! Je pourrai donc adoucir votre vieillesse! Je pourrai réparer le tort que je vous ai fait; je vous rendrai heureux, et je le serai de votre bonheur! Et toi! unique objet de mes voeux, ô Léonore! si le Ciel me permet de te retrouver un jour, voilà de quoi enrichir le faible don de ma main, de quoi satisfaire à tous tes désirs, de quoi me procurer le charme de les prévenir tous; mais que les calculs de l'homme sont incertains, quand il ne les soumet pas aux caprices du sort! O Léonore! Léonore, dit Sainville en s'interrompant et se jetant en pleurs sur le sein de sa chère femme, j'avais ce qu'il fallait pour ta fortune, tout ce qui pouvait te dédommager de tes souffrances, et je n'ai plus à t'offrir que mon coeur. Ciel, dit Madame de Blamont, cette grande richesse?...—Elle est perdue pour moi, Madame; différence essentielle entre les sentimens du coeur et les biens du hasard; ceux-ci se sont évanouis, et la tendresse, que je dois à celui de qui je les tenais, ne s'effacera jamais de mon âme; mais reprenons le fil des évènemens.

Quoiqu'il me restât encore près de vingt-cinq mille livres, dont moitié en or, heureusement cousus dans une ceinture qui ne me quitta jamais, j'eus la fantaisie de me faire échanger un de mes lingots en quadruples d'Espagne[27]; je me fis conduire à cet effet chez un directeur de la monnaie que m'avait indiqué mon hôte. Je lui présente mon or, il l'examine, et découvre bientôt qu'il n'est pas du Pérou. Sa curiosité s'en éveille; ses questions deviennent aussi nombreuses que pressantes; et sans qu'il me soit possible d'être maître de moi, un frémissement universel me saisit. Je vois que je viens de faire une sottise; et l'embarras, que ce mouvement imprime sur ma physionomie, redouble aussitôt la curiosité de mon homme; il prend un air sévère, et renouvelle ses questions du ton de l'insolence et de l'effronterie.... Ma figure se remet pourtant, elle reprend le calme que doit lui prêter celui de mon coeur, et je réponds sans me troubler, que je rapporte cet or d'Afrique; que je l'ai eu par des échanges avec les colonies portugaises. Ici mon questionneur m'examinant de plus prés encore, m'assure que les Portugais n'emploient en Afrique que de l'or du nouveau monde, et que celui que je lui présente n'en est sûrement pas. Pour le coup, la patience m'échappe: je déclare net que je suis las des interrogations, que le métal que je lui offre est bon ou mauvais, que s'il est bon, il ait à me l'échanger sans difficulté; que s'il le croit mauvais, il en fasse à l'instant l'épreuve devant moi; ce dernier parti fut celui qu'il prît, et l'expérience n'ayant que mieux confirmé la pureté au métal, il lui devînt impossible de ne me point satisfaire; il le fit avec un peu d'humeur, et en me demandant si j'avais beaucoup de lingots à changer ainsi: non, répondis-je sèchement, voilà tout; et faisant prendre mes sacs à mes gens, je regagnai mon hôtellerie, où je passai la journée, non sans un peu d'inquiétude sur la quantité des questions de ce directeur.

Je me couchai.... Mais quel épouvantable réveil! Il n'y avait pas deux heures que j'étais endormi, lorsque ma porte, s'ouvrant avec fracas, me fait voir ma chambre remplie d'une trentaine de crispins[28], tous familiers ou valets de l'inquisition[29]. Avec la permission de votre excellence, me dit un de ces illustres scélérats, vous plairait-il de vous lever, et de venir à l'instant parler au très-révérend père inquisiteur qui vous attend dans son appartement.... Je voulus, pour réponse, me jeter sur mon épée; mais on ne m'en laissa pas le tems.... On ne me lia point; c'est un des privilèges particuliers à ce tribunal, de n'employer, pour saisir leurs prisonniers, que la seule force du nombre, et jamais celle des liens; on ne me lia donc point; mais je fus tellement environné, tellement serré par-tout, qu'il me devint impossible de faire aucun mouvement; il fallut obéir: nous descendîmes; une voiture m'attendait au coin de la rue, et je fus transporté ainsi au milieu de ce tas de coquins dans le palais de l'inquisition: là, nous fûmes reçus par le secrétaire du saint-office, qui, sans dire une seule parole, me remit à l'alcaïde et à deux gardes, qui me conduisirent dans un cachot fermé de trois portes de fer, d'une obscurité et d'une humidité d'autant plus grandes, que jamais encore le soleil n'y avait pénétré. Ce fut là qu'on me déposa sans me dire un mot, et sans qu'il me fût permis, ni de parler, ni de me plaindre, ni de donner aucun ordre chez moi.

Anéanti, absorbé dans les plus douloureuses réflexions, vous imaginez facilement quelle fut la nuit que je passai: hélas! Me disais-je, j'ai parcouru le monde entier; je me suis trouvé au milieu d'un peuple d'antropophages; il a daigné respecter et ma vie et ma liberté; mon étoile me porte au sein des mers les plus reculées, j'y trouve une fortune immense et des amis.... J'arrive en Europe ... je touche à ma patrie ... c'est pour n'y rencontrer que des persécuteurs! Et comme si j'eusse pris plaisir à accroître l'horreur de mon sort, je ne me repaissais a chaque instant que de ces fatales idées, lorsqu'au bout d'une semaine de mon séjour dans cet horrible lieu, l'alcaïde parut escorté de ses deux mêmes gardes, et m'ayant ordonné de découvrir ma tête, il me conduisit ainsi à la salle d'audience. On me fit signe de m'asseoir; un siége étroit et dur se présentait â moi au bout d'une table auprès de laquelle étaient deux moines, dont l'un devait m'interroger, et l'autre écrire mes réponses; je me plaçai. En face était l'image de ce Dieu bon, de ce rédempteur de l'univers, exposé dans un lieu où l'on ne travaille qu'à perdre ceux qu'il est venu racheter. J'avais sous mes yeux un juge équitable, et des hommes méchans; le symbole de la douceur et de la vertu à côté de celui des crimes et de la férocité; j'étais devant un Dieu de paix et des hommes de sang, et c'était au nom du premier, que les seconds osaient me sacrifier à leur infâme cupidité.

On m'interrogea d'abord sur mon nom, sur ma Patrie et sur ma profession; ayant satisfait à ces premières demandes, on exigea de moi des éclaircissemens sur les motifs de mes voyages.... Je ne les cachai point; lorsque je dis que je quittais une isle, où j'avais trouvé le plus grand des hommes pour législateur ... on me demanda s'il était chrétien? Il est bien plus, dis-je avec enthousiasme; il est juste, il est bon, il est libéral, il est hospitalier, et n'enferme pas les infortunés que le hasard jette sur ses côtes; cette réponse, traitée d'impie, fut aussitôt inscrite comme blasphématoire. L'inquisiteur me demanda si j'avais baptisé ce payen?—Pourquoi faire, répondis-je outré? Si le Ciel est destiné pour la vertu, il y sera plutôt placé que ceux qui, soumis à ces vains usages, n'en reçoivent que la caractère du crime et de l'atrocité.—Autre blasphème! le moine, me montrant le crucifix, me demanda si je songeais que mon Sauveur était là?—Oui, lui dis-je, et si quelque chose le révolte ici, croyez que c'est bien plutôt la conduite du tyran qui impose les fers, que celle de l'esclave qui les reçois. Le Dieu que vous m'offrez a été malheureux comme moi,... et comme moi, victime de la calomnie et de la scélératesse des hommes, il doit me plaindre et vous condamner. Sur cette réponse, l'inquisiteur, palpitant de rage, dit au greffier d'écrire que j'étais athée.—Vous écrivez un mensonge, m'écriai-je; j'affirme que je crois à un Dieu, que je le crains, que je l'adore, et que je ne hais que ceux qui abusent de son nom, pour accabler l'innocence. Le greffier arrêté par cette réponse, fixa inquisiteur....

Écrivez, dit celui-ci, qu'il invective les officiers du tribunal.... Que votre éminence réfléchisse, dit le greffier en espagnol, croyant que je ne l'entendais pas.... Écrivez donc, que c'est un calomniateur, dit le moine toujours furieux.—Je croyais, dis-je alors à ce juge atroce, qu'il s'agissait moins de constater ce qui se passe ainsi à huis-clos, que de m'interroger sur les faits qu'on me suppose, et de me confronter aux témoins.—Il n'y a jamais de telles confrontations dans un tribunal dirigé par l'esprit de Dieu; où règne cet esprit sacré, les formalités deviennent inutiles; à qui est l'or que vous changeâtes hier chez le directeur des monnaies?—A moi.—D'où vous vient-il?—Des bontés d'un ami qui craint Dieu, qui aime les hommes, qui leur rend service, et qui ne les tourmente jamais.—Il y a donc des mines d'or dans son isle?—Non, dis-je affirmativement, (aurais-je pu me pardonner, par une réponse contraire, d'attirer de tels ennemis au meilleur des humains.) Non, il a reçu des lingots en paiement des différens objets d'un commerce fait avec les Anglais.—Et il vous a fait un tel présent?—Il ne s'en sert plus, il a renoncé à tout négoce étranger, cet or lui devient inutile.—Inutile? Pour près de huit millions!... Et alors, je vis que toute ma fortune était déjà dans les mains de ces scélérats....

L'Inquisiteur redoubla ses questions, il y mit tout l'art qu'il put pour me faire contredire ou couper, art profond, qui n'est possédé nulle part comme par les ministres de ce tribunal de sang; mais je ne sortis jamais du cercle de mes réponses, toujours elles furent les mêmes, et son infâme talent échoua devant elles. Il voulut des détails géographiques sur Tamoé, je les embrouillai tellement, qu'il lui fut impossible de deviner dans quelle partie de la mer cette isle était située.

L'interrogatoire se rompit. Je demandai mon bien, on me dit qu'il fallait d'autres éclaircissemens avant que de savoir seulement s'il m'appartenait; que dons le cas où il deviendrait certain que je n'en imposais pas, il faudrait toujours défalquer de ces richesses les frais de la procédure; que le roi aimerait un navire pour vérifier la solidité de mes aveux; que je devais juger de la longueur et des sommes que coûteraient ces informations, et sentir combien, d'après cela, il devenait essentielle dire la vérité pour abréger toutes ces démarches; je me gardai bien de tomber dans ce piège, et changeant de propos pour ne plus même donner lieu d'y revenir une seconde fois, je me plaignis de la chambre où l'on m'avait mis, et demandai si pour les fonds que l'on avait à moi, on ne pouvait pas au moins me loger plus commodément. L'alcaïde interrogé par l'inquisiteur, répondit alors qu'il n'y avait de bonnes chambres vacantes pour le moment que dans le quartier des femmes;... qu'on lui en donne une, dit le révérend, et vous lui ferez, en l'y enfermant, les recommandations d'usage.

Cet appartement, situé dans la cour des femmes, était infiniment meilleur que le mien; c'est par un excès de faveur que l'on vous accorde cette chambre, me dit celui qui m'y conduisait, songez à vous y conduire avec toute la prudence et toute la circonspection imaginables; la plus légère indiscrétion vous ferait remettre dans un cachot, dont vous ne sortiriez jamais; au-dessus et à côté de cette chambre, continua l'alcaïde, sont les juives et des Bohémiennes; le plus grand silence, si elles vous interrogent, et gardez-vous de leur parler le premier; je promis tout ce qu'on voulut, et les portes se fermèrent.

J'avais déjà passé cinq jours dans cette nouvelle position, lorsqu'un de mes geôliers m'invita à demander une autre audience, tel est l'usage de ce tribunal plein de ruse et de fausseté, quand les juges veulent interroger une seconde fois le coupable, il faut que cette audience soit comme l'effet d'une pressante sollicitation de la part de ce malheureux, qui, sans cela, gémirait des siècles, et sans qu'on le soulageât, et sans qu'on l'entendit; je demandai donc à revoir mes juges ... je l'obtins.

L'inquisiteur me demanda ce que je voulais.—Mon bien et ma liberté, répondis-je.—Avez-vous réfléchi, me dit-il en éludant ma réponse, sur l'extrême importance dont il est pour vous de donner les lumières qu'on désire.—J'ai satisfait à ce qu'on exigeait de moi, satisfaites de même à ce que j'attens de vous.—Tout est enfermé maintenant dans les coffres du saint office, et rien n'en peut plus sortir qu'au retour du vaisseau d'information que sa majesté va faire partir; pressez-vous donc de donner les éclaircissemens qu'on vous demande, votre liberté tient à leur promptitude, vos jours à leur sincérité.—Mais, dès qu'on vit que mes réponses étaient toujours les mêmes, on me dit alors avec humeur, que quand on n'avait rien à dire, il ne fallait pas faire demander des audiences, que le tribunal accablé d'affaires, ne pouvait pas être journellement importuné pour de telles minuties; que j'eusse à retourner dans ma prison, et à ne pas demander d'en sortir, si je n'étais pas décidé à plus de vérité et de soumission.

Je rentrai ... ce fut alors, je l'avoue, que je me sentis bien près du désespoir.... Eh! qu'ai-je donc fait, me dis-je, en quoi puis-je mériter une punition si sévère? J'étais né honnête et sensible, et me voilà traité comme un scélérat!... Je possédai quelques vertus, et me voilà confondu avec le crime!... A quoi m'ont servi les qualités de mon coeur?... En suis-je moins devenu la victime des hommes?... Hélas! quelque mérite de plus m'a attiré toute leur haine; avec des vices et de la médiocrité, je n'aurais trouvé que du bonheur; il ne faut qu'être bas et rampant pour être sûr de leur estime.... Mais si des talens vous décorent, si la fortune vous rit, si la nature vous sert, leur orgueil humilié ne vous préparé plus que des pièges; et la méchanceté qu'il arme, et la calomnie qu'il envenime, toujours prêtes à vous écraser, vous puniront bientôt d'être bon et vous feront repentir de vos vertus. Puis revenant sur la première origine de mes erreurs, mon plus grand crime, ajouté-je, est d'avoir aimé Léonore; à cette première faiblesse tient la chaîne de toutes mes infortunes; sans cela, je n'aurais pas quitté la France: que de maux ont suivi cette première faute! Que dis je, hélas! Plus malheureuse que moi, que fait-elle isolée sur la terre? En l'enlevant à sa famille, n'ai-je pas détruit son bonheur? En l'arrachant à son devoir, n'ai-je pas flétri ses beaux jours? Ne lui ai-je pas ravi, par cette coupable imprudence, toute la félicité qu'elle avait droit d'attendre? Ce n'est donc que sur elle que mes larmes doivent couler, ce n'est donc qu'elle que je dois plaindre; mon malheur est mérité dès qu'il put attirer le sien.... O Léonore, Léonore! tes revers sont mon seul ouvrage, et les étincelles de plaisir, que mon amour fit naître en toi, ressemblaient à ces lueurs mensongères, qui, trompant le voyageur égaré, l'engloutissent à jamais dans l'abyme!... Et toi, mon bienfaiteur, continue-je en larmes, pourquoi t'ai-je quitté? Pourquoi n'ai-je pas retrouvé Léonore dans ton isle, et pourquoi ce séjour enchanteur n'est-il pas devenu notre patrie à tous les deux?... Tribunal odieux, nation subjuguée par l'imposture et la superstition, quels droits avez-vous sur moi! qui vous donne ceux de me retenir et de me rendre le plus malheureux des hommes!

Huit jours se passèrent encore ainsi, lorsqu'on vint me chercher pour une troisième audience; mais on ne m'avait pas fait solliciter celle-là: les scélérats commençaient à voir que je soupçonnais leur piège; ils désespéraient de m'y prendre, et ne pouvant plus avoir recours qu'à l'effroi et à la calomnie, ils espéraient, en usant de ces deux moyens, obtenir le moi quelques aveux, qui, me rendant imaginairement coupable, apaisassent au moins les remords qu'ils commençaient, sans doute, à sentir, de me voler aussi impunément.

Je fus reçu cette fois-ci dans ce qu'on appelle le lieu des tourmens; c'est un souterrain effroyable, dans lequel on descend par un nombre infini de marches, et tellement reculé, qu'aucun cri n'en peut être entendu.... C'est là que, sans respect, ni pour la pudeur, ni pour l'humanité; que, sans distinction d'âge, de condition ou de sexe, ces infernaux vautours viennent se repaître de barbaries et d'atrocités: c'est là que la jeune fille timide et honnête, mise nue sous les yeux de ces monstres, pincée, brûlée, tenaillée, vit éveiller dans ces coeurs pervers le sentiment de la luxure par l'aiguillon de la férocité; et c'est pour y multiplier les victimes de leur exécrable infamie, qu'ils corrompent annuellement cinquante mille âmes dans le royaume, afin d'obtenir plus de coupables. Là tous les instrumens de la torture se présentèrent à mes yeux effrayés, il n'y manquait que les bourreaux. Les mêmes moines assis dans de vastes fauteuils, m'ordonnèrent de me placer sur une escabelle de bois, posée en face d'eux.

Vous voyez, me dit celui qui m'avait interrogé jusqu'alors, quels sont les moyens dont nous allons nous servir pour obtenir de vous la vérité.—Ces moyens sont inutiles, répondis-je avec courage; ils peuvent effrayer le coupable, mais l'innocent les voit sans frémir: que vos bourreaux paraissent, je saurai à-la-fois soutenir leurs tortures, vous plaindre et me consoler.

Cette fierté, hors de saison, cet entêtement à nous cacher la vérité va peut-être vous coûter bien cher, reprit l'inquisiteur; est-il besoin de feindre lorsque nous avons tout appris: votre hôte, vos gens emprisonnés, comme vous, (cette circonstance était fausse) tout ce qui vous entourait enfin, vient de déposer contre vous. On a surpris vos opérations; on vous a vu invoquer le Diable.... En un mois, vous êtes chymiste et sorcier, ce que nous regardons comme synonyme[30].

Par-tout ailleurs, j'avoue que le rire eût été ma seule réponse à des balourdises de cette espèce; on n'imagine pas le mépris qu'inspire un juge quelconque, quand renonçant à la sage austérité de son ministère, il en descend par libertinage ou bêtise, pour s'occuper de détails ou déshonnêtes, ou hors de bon sens; on ne voit plus dès-lors en lui qu'un crapuleux ou qu'un imbécile, conduit par la débauche ou l'absurdité, et qui n'est plus digne que de la rigueur des loix et de l'indignation publique.

Quoi qu'il en fût, je me contins; mais les mouvemens de pitié que m'inspiraient de pareils fourbes, éclatèrent si énergiquement sur mon visage, qu'ils se regardèrent tous deux, sans trop savoir que dire, pour appuyer leur stupide accusation. Leur adressant la parole enfin: si j'avais, dis-je, la puissance du Diable, croyez que le premier emploi que j'en ferais, serait assurément de me sortir de la main de ses satellites.—Mais s'il est certain, dit l'inquisiteur en ne prenant pas garde à ma réponse, s'il est évident que cet or est composé par vous, il ne peut l'être que par la chymie; or, la chymie est un art diabolique que nous regardons....—On ne fait de l'or par aucuns procédés chymiques, dis-je en interrompant cet imbécile avec vivacité, ceux qui répandent ces sottises sont aussi bêtes que ceux qui les croient; la seule matrice de l'or est la terre, et on ne l'imite point: je vous ai dit d'où venaient ces lingots; je ne les ai acquis par aucune voie qui puisse alarmer ma conscience; vous m'arracheriez la vie, que je ne vous en dirais pas davantage. Gardez mon or, si c'est lui qui vous tente; je vivais avant de l'avoir, je ne mourrai pas pour l'avoir perdu; mais rendez-moi la liberté que vous m'avez ravie sans droits, et que votre seule cupidité vous force à m'enlever.—Vous reconnaissez donc, ajouta ce suborneur, que cet or est le fruit de vos oeuvres?—Je reconnais qu'il m'a été donné, qu'il m'appartient, et que vous voulez me faire mourir pour me le voler.—On ne porta jamais l'impudence plus loin, dit le moine en se levant furieux, et sonnant une petite clochette d'argent qu'il avait près de lui, nous allons voir si elle se soutiendra aux portes du tombeau. Quatre assassins masqués comme le sont les pénitens dans nos provinces du Midi, parurent alors, et s'apprêtèrent à me saisir; ô Dieu! m'écriai-je, pardonnez à mes bourreaux, et donnez-moi la force d'endurer les tourmens que leur stupide rage apprête à l'innocence.

A ces mots, l'inquisiteur sonna une seconde fois, et l'alcaïde parut.... Remettez cet homme en prison, lui dit le moine, il y finira ses jours, puisqu'il ne veut rien avouer; qu'il entende bien que sa liberté tient à ses aveux, et qu'il les fasse maintenant quand il voudra.

Je sortis, et vous laisse à penser dans quels sentimens j'étais contre d'infâmes coquins, dont il était clair que le vol et le meurtre étaient les seules intentions.

Mon trouble seul me soutint cette première journée; mais je tombai le lendemain dans des réflexions sombres, dans une mélancolie, qui me firent naître le dessein de finir mon sort.

Un accès de douleur effroyable qui survint peu après, en mettant mon âme dans une situation plus violente, la sortît de ces funestes projets.

Oui, me dis-je dans l'excès de mon désespoir, un tribunal qui ne pardonne jamais, qui corrompt la probité des citoyens, la vertu des femmes, l'innocence des enfans; qui, comme ces tyrans de l'ancienne Rome, ose faire un crime de la compassion et des larmes ... aux yeux duquel le soupçon est un tort, la délation une preuve, la richesse un délit;... qui, foulant aux pieds toutes les loix divines et humaines, couvre son impudence, sa luxure et sa cupidité du voile hypocrite de l'amour divin et des bonnes moeurs; qui pardonne tous les forfaits de ceux qui le servent; qui assure l'impunité à ses satellites; qui, pour comble d'horreur et d'impudence, condamne et flétrit des héros[31], immole des ministres d'État[32], fait perdre à la nation ses plus brillans domaines[33], dépeuple le gouvernement: un tel tribunal, dis-je, est la preuve la plus authentique de la faiblesse de l'État qui le souffre, le signe le plus certain du danger de la religion qui le protège, et l'avertissement le plus sûr de la vengeance de Dieu[34].

Malheur aux rois, ou qui le toléreront dans leurs États, ou qui, même en le rejetant, consentiront à souiller les tribunaux de la nation des atroces maximes de cette assemblée de brigands; le citoyen barbare, inepte et frénétique, qui abuserait de sa place pour introduire de telles opinions, serait l'instrument infernal qu'emploierait la colère céleste pour ébranler la puissance de cet empire, et si ce scélérat, moins imaginaire qu'on ne le croira peut-être, parvenait à force de bassesses à s'élever un instant au-dessus de l'état vil où la nature le réduit, le ciel ne l'aurait permis que pour lui préparer la honte d'avoir à tomber de plus haut[35].

Ce fiel lancé, de nouvelles idées m'occupèrent: mes 25,000 liv. en or placées dans ma ceinture, me restaient intactes; comme cette ceinture était extrêmement serrée sur mes reins, j'étais assez heureux pour qu'elle eût échappé à ceux qui m'avaient fouillé en entrant; cette circonstance heureuse me fit voir que je n'étais pas tout-à-fait abandonné de la fortune, et qu'elle me tendait encore la main pour m'affranchir de mon malheureux sort.... L'espoir se ranima; si peu de chose le sourient dans le coeur navré du misérable! Je ne vis plus les murs de ma prison comme les parois de mon sépulcre; l'oeil qui me les fit mesurer de nouveau, n'était plus dirigé que par l'idée de les franchir; je les examinai avec exactitude ... j'en sondai l'épaisseur ... j'observai la fenêtre; moins élevée qu'elles ne le sont dans les autres chambres, je crus qu'avec un peu de patience et du travail, il me deviendrait peut-être possible d'échapper par-là: sa clôture, ou plutôt ses grillages étaient doubles et très-épais, je ne m'en effrayai point; je regardai où donnait cette fenêtre; il me parut que c'était dans une petite cour isolée, n'ayant plus qu'un mur de vingt pieds devant elle, qui la séparait de la rue; je résolus de me mettre à l'ouvrage dès l'instant même; le fer d'un briquet, meuble d'usage dans ces sortes d'endroits, me parut devoir servir au mieux mes desseins; à force de l'ébrécher contre une pierre, j'en fis une sorte de lime, et dès le même soir, j'avais déjà mordu un de mes barreaux de plus de trois lignes de profondeur.... Courage, me dis-je.... O Léonore! j'embrasserai encore tes genoux.... Non, ce n'est point ici que la mort est préparée pour moi, elle ne peut me frapper qu'à tes pieds.... Travaillons....

Afin que mes geôliers ne se doutassent de rien, j'affectai devant eux la plus profonde douleur; je portai la ruse au point de refuser même les alimens qui m'étaient présentés, et les contraignant ainsi à un peu de pitié, j'éloignai tout soupçon de leur esprit. Cependant leurs consolations furent médiocres: l'art, de répandre du baume sur les plaies d'une âme désolée, n'est jamais connu d'êtres assez vils, pour accepter l'emploi déshonorant de fermer des portes de prison. Quoi qu'il en soit, je les trompai, et c'était tout ce que je désirais; leur aveuglement m'était plus utile que leurs larmes, et j'avais bien plus envie de fasciner leurs yeux, que d'attendrir leurs coeurs.

Mon ouvrage se perfectionnait; déjà ma tête passait entièrement par les ouvertures que j'avais pratiquées; j'avais soin de remettre les choses en ordre le soir, pour qu'on ne s'aperçût de rien; tout répondait enfin au gré de mes désirs, lorsqu'un jour, vers les trois heures après-midi, j'entendis frapper au-dessus de ma tête en un endroit de la voûte qui me parut plus faible que le comble, et qui l'était suffisamment pour laisser pénétrer la voix.

J'écoutai: on refrappa.—Pouvez-vous m'entendre? me dit une voix de femme en mauvais français.—Au mieux, répondis-je; que désirez-vous d'un malheureux compagnon d'infortune?—Le plaindre et me consoler avec lui, me répondit-on; je suis prisonnière et innocente comme vous: depuis 8 jours je vous écoute, et crois deviner vos projets.—Je n'en ai aucun, répondis-je, craignant que ce ne fût ici quelque piège, et connaissant cette ruse basse et vile qui place à côté d'un malheureux un espion déguisé sous la même chaîne, dont le but est d'entrouvrir le coeur de son infortuné camarade, afin d'en arracher un secret qu'il trahit dans le même instant; artifice exécrable, prouvant bien plutôt l'affreux désir de trouver des criminels, que l'envie honnête et légitime de ne supposer que l'innocence[36]. Vous me trompez, reprit la compagne de mon sort, je démêle au mieux vos soupçons; ils sont déplacés vis-à-vis de moi: si nous pouvions nous voir, je vous convaincrais de ma franchise: voulez-vous m'aider, continua-t-on, perçons chacun de notre côté à cet endroit où je vous parle, nous nous entendrons mieux, nous nous verrons, et j'ose croire qu'après un peu plus d'entretien, nous nous convaincrons qu'il n'est rien à craindre à nous confier l'un à l'autre.

Ici ma position devenait très embarrassante: j'étais découvert, cela était évident, et dans une telle circonstance peut-être il y avait moins de danger à accorder à cette femme ce qu'elle désirait, qu'à l'irriter par des refus. Si elle était fausse, elle me trahissait assurément; si elle ne l'était pas, mon impolitesse la déterminait à le devenir. J'acceptai donc sans balancer; mais comme nous approchions de l'heure où les geôliers faisaient leur ronde, je conseillai à ma voisine de remettre le travail au lendemain ... elle y consentit.—Ah! dit-elle encore en me souhaitant le bonsoir, que d'obligations nous allons vous avoir.—Que veut dire ce nous, répartis-je au plus vite, n'êtes-vous donc pas seule?—Je suis seule, me répondit-on; mais j'ai près de moi une compagne, avec laquelle je cause très à l'aise par une ouverture que nous avons faite, et qui va lui faciliter le moyen de se rendre dans ma chambre, pour passer ensuite toutes les deux dans la vôtre, quand le travail, que nous allons entreprendre vous et moi, sera fait; ce service que j'implore, j'en conviens, c'est bien plutôt pour cette infortunée, que pour moi: si vous la connaissiez, elle vous intéresserait assurément; elle est jeune, innocente et belle; elle est de votre patrie; il est impossible de la voir sans l'aimer. Ah! si la pitié ne vous parle pas en ma faveur, qu'elle se fasse entendre au moins pour elle!...—Quoi! celle dont vous me parlez est française, répliquai-je avec empressement, et par quel hasard?... Mais nous n'eûmes pas le tems d'en dire davantage, et le bruit que nous entendîmes nous força de cesser notre entretien.

Dès que j'eus soupé, je m'enfonçai dans les plus sérieuses réflexions sur le parti à prendre dans cette circonstance. Ma délicatesse était flattée, sans doute, d'arracher au joug des scélérats qui nous retenaient, deux infortunées comme moi; mais, d'un autre côté, que de risque à me charger d'elles, et comment entreprendre, avec deux femmes, une opération si dangereuse, et dont le succès était aussi incertain: si elle manquait, je redoublais leurs chaînes, et me précipitais avec elles dans de plus grands malheurs, peut-être, que ceux qui nous attendaient. Seul, tout me semblait possible; tout me paraissait échouer avec elles ... Je ne balançai donc plus; je fermai mon coeur à toute considération, et me déterminai à partir sur-le-champ, afin de ne plus même entendre les regrets intérieurs que j'éprouvais à refuser aussi cruellement mes services à ces deux malheureuses compagnes de mon sort.

J'attendis minuit: visitant alors mes ouvertures, et les trouvant suffisamment élargies pour y passer le corps, je liai un de mes draps aux barreaux qui n'étaient point endommagés, et me laissai par leur moyen glisser dans la cour ... nouvel embarras dès que j'y fus; je tombais dans une espèce de gouffre dont l'obscurité était d'autant plus affreuse, que l'enceinte en était étroite et haute; j'avais vingt pieds de mur à franchir, sans qu'aucun moyen s'offrît à moi pour m'en faciliter l'entreprise; alors, je me repentis vivement de ce que je venais de faire; la mort, sous mille formes, s'offrit à moi pour punition de mon imprudence; un regret amer de tromper aussi durement l'espoir des deux femmes que j'abandonnais, vint achever de déchirer mon coeur; et j'étais prêt à remonter, lorsqu'en tâtonnant dans cette cour, une échelle vint s'offrir à moi. O ciel! me dis-je, je suis sauvé, n'en doutons pas, la Providence me sert mieux que moi-même, elle veut absolument m'arracher de ces lieux; suivons sa voix, et reprenons courage: je saisis cette échelle précieuse, je l'appliquai au mur, mais il s'en fallait bien qu'elle en atteignît le haut, à peine arrivait-elle a la moitié; quelle nouvelle détresse!... Mon heureuse étoile ne m'abandonna pourtant point encore; à force d'examiner, je découvre un petit toit dans cette cour, dont l'élévation est semblable à celle de mon échelle; je l'y applique, je monte; une fois sur ce parapet, je rapporte l'échelle à moi, et la repose contre le mur, me voilà sur la crête; mais en étais-je plus avancé: il fallait descendre d'aussi haut que je m'étais élevé, et nul moyen de ce côté ne se présentait pour y réussir; le mur étant assez large pour me permettre de marcher dessus, j'en fis le tour, observant avec le plus grand soin tout ce qui pouvait l'environner, et me permettre d'en descendre avec un peu plus de facilité; enfin, j'aperçois au coin d'une petite rue aboutissant à ce mur, un tas de fumier appuyé contre lui à la hauteur de près d'une toise; je me précipite sans réfléchir davantage, je m'élance dans la rue, et assez heureux pour ne m'être fait aucun mal dans toutes ces diverses opérations, me voilà, comme vous l'imaginez bien, à faire de mes jambes le plus prompt et le meilleur usage possible.

Un fuyard de l'inquisition ne trouve de ressources nulle part en Espagne: le royaume est rempli des satellites de ce tribunal, toujours prêts à vous ressaisir en quelques lieux que vous puissiez être. Rien de plus vigilans que les soins de la Sainte-Hermandad; c'est une chaîne de fripons qui se donnent la main d'un bout de l'Espagne à l'autre, et qui n'épargnent ni frais, ni tromperies, ni soins, ou pour arrêter celui que le tribunal poursuit, ou pour lui rendre celui qui s'en échappe; je le savais, et je sentais parfaitement, d'après cela, que le seul parti qui me restait à prendre, était de m'éloigner à l'instant d'Espagne, et de gagner si je pouvais, sans aucun repos, les frontières de France.

Je me mis donc à fuir.... A fuir! qui, grand Dieu! quel était donc l'objet dont je venais de tromper la confiance!... quelle était cette fille charmante pour laquelle une tendre amie venait d'intéresser ma pitié!... qui trahissais-je, qui fuyai-je, en un mot!... Léonore, ma chère Léonore: c'était-elle que la fortune venait de mettre une troisième fois dans mes mains; elle dont je refusais de briser les fers, et que je laissais au pouvoir d'un monstre bien plus dangereux encore que les Vénitiens et que les antropophages; elle, enfin, dont je m'éloignais tant que mes forces pouvaient me le permettre.

Oh! pour le coup, dit Madame de Blamont, c'est être aussi par trop malheureux, et je crois qu'après ceci on ne doit plus croire aux, pressentimens de l'amour. O Madame! continua-t-elle en embrassant cette aimable personne, combien tout ceci redouble l'envie que nous avons tous d'apprendre vos aventures, et de quel intérêt elles doivent être!

Au moins, laissons finir celle de Mr. De Sainville, dit le comte de Beaulé; c'est une terrible chose que d'avoir affaire à des femmes: on s'imagine que la curiosité est leur démangeaison la plus cuisante ... vous le voyez, Mr., on se trompe, c'est l'envie de parler.—Mais qui nous retarde à présent, dit Aline avec gentillesse en s'adressant au comté ... il me semble que ce n'est que vous seul.—Soit, reprit Mr. De Beaulé; mais si vous interrompez encore une fois, ou l'une, ou l'autre, j'emmène Sainville et Léonore à Paris, et vous prive de savoir le reste de leur histoire. Allons, allons, dit Madame de Senneval, il faut écouter et se taire: notre général le ferait comme il le dit; continuez, Mr. De Sainville, continuez, je vous en supplie, car j'ai bien envie de savoir comment vous vous réunirez à ce cher objet de tous vos soins.

Hélas! Madame, reprit Sainville, il me reste peu de choses intéressantes à vous dire entre cette dernière circonstance de mon histoire et notre heureuse réunion; et l'impatience que je lis en vous d'écouter à présent plutôt Léonore que moi, va me faire abréger les détails.

Je marchai avec la plus grande vitesse; j'évitais les villes et les bourgs, je couchais en rase campagne: si je rencontrais quelqu'un, je me faisais passer pour déserteur français, et six jours de marche excessive me rendirent enfin au-delà des monts: j'arrivai à Pau dans un état qui vous eût attendri; j'y trouvai au moins de la tranquillité, et il me restait assez d'argent pour m'y mettre à mon aise. Mais le calme décida la maladie que tant d'agitations faisaient germer dans mon sang; à peine fus-je dans une maison bourgeoise, que j'avais louée pour quelque tems à dessein de m'y refaire, qu'une fièvre ardente se déclara, et me mit en huit jours aux portes du tombeau. J'étais pour mon bonheur, chez d'honnêtes gens; ils eurent pour moi des soins que je n'oublierai jamais; mais ma convalescence ayant duré quatre mois, je ne pensai plus à me rendre dans ma patrie. Vers la fin de l'Été, j'achetai une voiture, je pris des domestiques, et je fus en poste à Bayonne; ne me trouvant pas encore assez bien pour soutenir cette fatigante manière de voyager, j'y renonçai, et vins à petites journées à Bordeaux, où je résolus de me rafraîchir une quinzaine de jours; j'y étais aussi tranquille que l'état de mon coeur pouvait me le permettre, lorsqu'un soir, ne cherchant qu'à me distraire ou à me dissiper, je fus à la comédie attiré par le Père de Famille, que j'ai toujours aimé, et plus encore par l'annonce d'une jeune débutante aux rôles de Sophie dans la première pièce, et de Julie dans la Pupille, qui devait suivre: c'était, assurait-on, ne fille pleine de grâces, de talens, et qui venait de faire les délices de Bayonne, où elle avait passé pour se rendre à Bordeaux, lieu de son engagement. Il était d'usage alors qu'un peu avant le pièce, les jeunes gens se rendissent sur le théâtre pour y causer avec les actrices, j'y fus dans le dessein d'examiner d'un peu plus près si cette jeune personne, dont la figure s'exaltait autant, méritait les éloges qu'on lui prodiguait; ayant rencontré là par hasard un nommé Sainclair, que j'avais vu autrefois tenant le premier emploi à Metz et qui le remplissant de même à Bordeaux allait représenter le tendre et fougueux Saint-Albin; je le priai de me montrer la déesse qu'il allait adorer.—Elle s'habille, me dit-il, elle va descendre à l'instant; je vous la ferai voir dès qu'elle paraîtra; c'est la première fois que je joue avec elle; je ne l'ai vue qu'un moment ce matin ... elle n'est ici que d'hier ... nous avons répété les situations; elle est en vérité du dernier intérêt. Une jolie taille, un son de voix flatteur, et je lui crois de l'âme.—Eh vous n'en êtes pas amoureux, dis-je en plaisantant?—Oh bon! me répondit Sainclair, ne savez-vous donc pas que nous sommes comme les confesseurs, nous autres, nous ne chassons jamais sur nos terres; cela nuit au talent; l'illusion est au diable quand on a couché avec une femme, et pour l'adorer sur la scène, ne faut-il pas que cette illusion soit entière. Cette fille est d'ailleurs aussi sage que belle.... En vérité, tous nos camarades le disent.... Mais tenez, parbleu, la voilà, vos yeux vont vous servir infiniment mieux que mes tableaux.... Hein! comment la trouvez-vous?... Ciel! étais-je en état de répondre!... Mes membres frémissent ... une angoisse cruelle enchaîne à l'instant tous mes sens, et revenant comme un trait de cette situation, je vole aux genoux de cette fille chérie.... O Léonore! m'écriai-je, et je tombe à ses pieds sans connaissance.

Je ne sais ce que je devins, ce qu'on fit, ce qui se passa; mais je ne repris connaissance que dans les foyers, et quand mes yeux se rouvrirent, je me retrouvai soigné par Sainclair, plusieurs femmes de la comédie, et Léonore à genoux devant moi, une main appuyée sur mon coeur,m'appelant et fondant en larmes.... Nos embrassemens ... notre délire ... nos questions coupées, reprises cent et cent fois, et jamais répondues, l'excès de notre tendresse mutuelle, et du bonheur que nous sentions à nous retrouver enfin après tant de traverses, arrachaient des larmes à tout ce qui nous entourait. On avait annoncé la débutante évanouie; l'impossibilité de donner le Père de Famille, et toute la troupe s'était renfermée avec nous dans les foyers. Léonore

[ICI ON MANQUE LES PAGES 500 ET 501.]

plus tendres caresses; je me joignis à elle pour donner à ces deux honnêtes personnes les marques de l'effusion de mon coeur, et tous nos adieux faits, nous quittâmes Bordeaux dès le même soir, pour Aller coucher à Livourne, où nous nous établîmes pour quelques jours.... Après avoir témoigné à cette chère épouse l'ivresse où j'étais de retrouver après avoir passé vingt-quatre heures à ne nous occuper que de notre amour et du bonheur dont nous jouissions de pouvoir nous en donner mille preuves, je la suppliai de me faire part des évènemens de sa vie, depuis l'instant fatal qui nous avait séparés.

Mais ces aventures, Mesdames, dit Sainville en finissant les siennes, auront je crois plus d'agrémens racontées par elle, que par moi; permettez-vous que nous lui en laissions le soin.—Assurément, dit Madame de Blamont au nom de toute la société, nous serons ravis de l'entendre, et....

Juste ciel! qui m'empêche moi-même de poursuivre; quel bruit affreux vient ébranler soudain jusqu'aux fondemens de la maison; ô Valcour! les cieux seront-ils toujours conjurés contre nous?... On enfonce les portes, les fenêtres se hérissent de bayonnettes.... Les femmes s'évanouissent.... Adieu, adieu, trop malheureux ami.... Ah!... N'aurais-je donc jamais que des malheurs à t'apprendre!

Milton Keynes UK
Ingram Content Group UK Ltd.
UKHW040902181023
430840UK00004B/169